Éloge du chat

Du même auteur

Moutarde douce, Robert Laffont, 2001 ; Pocket, 2014

Le Néant de Léon, Stock, 2003

L'Apocalypse selon Embrun, Stock, 2004

Les Infernales, Stock, 2005

Je ne connais pas ma force, Fayard, 2007

Combat de l'amour et de la faim, Fayard, 2009. Prix Lilas

La Distribution des lumières, Flammarion, 2010. Prix Thyde Monnier de la Société des gens de lettres

Les Éphémérides, Rivages, 2012

Sang d'encre, Éditions des Busclats, 2013

Un roman anglais, Rivages, 2015 ; Rivages Poche, 2017

L'animal et son biographe, Rivages, 2017

Stéphanie Hochet

Éloge du chat

Préface de Pierrette Fleutiaux

Rivages

Retrouvez l'ensemble des parutions
des Éditions Payot et Rivages sur
payot-rivages.fr

Au chat Toulouse de Carole Zalberg
qui m'a tant inspirée.

« Qui connaît les chats ? – Se peut-il, par exemple, que vous prétendiez les connaître ? »

R.M. RILKE, préface à *Mitsou, histoire d'un chat* de Balthus

« Je pris pour maître (*sic*) les chats et l'état du ciel. »

P. QUIGNARD, *Les Désarçonnés*

D'abord un avertissement solennel. Mes avocats m'ont instamment demandé d'introduire la mise au point suivante avant d'aborder le livre de Mme Hochet.

Dans cette affaire, m'ont-ils dit, il vaut mieux avancer à patte de velours.

Le livre dont il est question ici n'est pas un livre d'anatomie animale. Il ne traite pas de la digestion, gestation, parturition du chat, de ses muscles sauteurs, du nombre de poils et de la nature des coussinets, pas plus qu'il n'avise sur les parasites (tiques et autres), maladies, traitements et médicaments afférents. On n'y trouvera aucune publicité, aucun conseil concernant les marques de croquettes et leur utilisation, pas plus que des recettes ou menus saisonniers et raisonnés pour la bestiole en question.

Enfin il ne s'agit pas non plus d'un cantique de louanges à chanter dans quelque église fondamentaliste naturaliste animalière anté-péché originel.

Il est donc demandé aux lecteurs et lectrices qui auraient pu se méprendre et s'attendraient à trouver les informations susmentionnées à l'intérieur de ces pages de rapporter dans la journée leur exemplaire au libraire. Délai après lequel mes avocats ne pourront plus recevoir aucune réclamation.

J'ajoute en mon nom personnel que les personnes susceptibles d'allergie à la flexibilité, la cabriole littéraire, la galipette intellectuelle, à l'érudition maîtrisée, à l'amour, à l'humour enfin, risquent d'être fortement incommodées.

C'est que l'auteure s'est intéressée au chat qui hante l'esprit humain, celui qui se faufile dans les textes les plus littéraires, celui que l'histoire humaine condamne odieusement ou célèbre en majesté, l'objet de nos haines ou de nos amours, le chat à neuf vies, le chat qui circule dans nos têtes.

Et du coup, le chat est un prisme magnifique qui permet de mener des explorations en tout lieu. Il peut être un guide, qui vous fait découvrir les bas-fonds des villes comme ceux de l'âme humaine, qui vous ouvre les panoramas vertigineux des toits tout aussi bien que ceux de l'esprit humain.

L'auteure n'en perd pas de vue le chat réel. En effet, l'écriture de Stéphanie Hochet semble procéder de l'être même du chat, de son essence intime, du chat en soi, du chat pour soi, du chat soi. De même que le chat parcourt tout espace qui lui chante à sa guise toujours et souverainement, cette écriture circule parfaitement à l'aise au milieu des plus grands, saute en souplesse sur les pages révérées de la littérature, se pose où elle veut comme elle veut.

Érudite, elle ne s'encombre d'aucune lourdeur, à quoi bon, cette écriture procède de la parfaite sérénité et de la grâce du chat, qui n'a besoin que d'être pour exister. La queue du chat Hochet balance et titille au passage Beaudelaire, Winston Churchill, Natsume Sôseki, Colette, Richard Brooks, Geluck, etc., puis d'un saut gracieux le chat Hochet s'en va voir ailleurs, et vous en restez comme deux ronds de flan.

D'ailleurs maintenant que j'y songe, je trouve que l'auteure, en sa personne physique, tient aussi du chat. Je ne l'avais pas remarqué avant. À voir s'il s'agit là d'un effet passager, d'un envoûtement la visant elle, ou me visant moi.

J'en suis même venue à déceler dans les écrits antérieurs de Stéphanie Hochet une présence chat, un souffle chat, une sorcellerie chat, un tropisme chat, tout particulièrement dans *Le Néant de Léon*, et *La Distribution des lumières*. Je vous invite fortement à y aller voir par vous-mêmes. Si confirmation il y a, une communication aux instances concernées, littéraires et scientifiques, s'imposerait alors.

Pierrette FLEUTIAUX

AVANT-PROPOS

Tout le monde le sait : le chat est un animal libre, le chat choisit son maître avant que le maître n'arrête son choix sur le chat, le chat ne vous caresse pas vraiment, il *se* caresse en se frottant à vos jambes, et puis le chat vous regarde de haut, il vous toise. Alors que le chien vous regarde avec adoration, le chat vous observe avec un détachement supérieur – d'ailleurs, il aura pris soin de se poster en hauteur, sur une table, une armoire, pour vous dominer, naturellement – et puis le chat est hypocrite, nombre de contes le dépeignent en train de dissimuler ses intentions, presque toujours mauvaises, sinon cruelles. La cruauté va si bien à ce redoutable prédateur qui rappelle parfois que fauve il fut, félin il demeure quand il chasse *pour le plaisir* oiseaux ou souris. Pourtant, nous en sommes fous. Nous l'accueillons chez nous, nous dépensons pour son bien-être et trouvons qu'il nous le rend bien. Le chat est irrésistible, il connaît l'art et la manière de se faire aimer. Le félin apprivoisé serait-il ce

que Lacan appelle un « animal en mal d'homme »
quand il parle des animaux domestiques ? Le chat
ne semble pas totalement correspondre à ce terme
même s'il s'est installé dans nos maisons, nos appar-
tements, et qu'il fait partie de notre vie.

Nous pourrions nous interroger sur notre propre
comportement ; pourquoi servir, idolâtrer cet animal
insaisissable ? Nous sommes étrangement attirés
par cette créature à la fourrure soyeuse, aux griffes
aiguisées capables de nous lacérer et qui nous
inflige par jeu ou intention des blessures brûlantes.
Rappelons-nous que le chat a été aussi détesté dans
le monde. Nombre de ces animaux agiles furent
immolés au nom des dangers qu'ils faisaient courir
aux humains, à cause de leur bizarrerie ou de leur
prétendue appartenance aux puissances des ténèbres.
Il y a une peur et un mystère. Le mystère chat
que nous ne parvenons pas à saisir. Il semblerait
que nous nous reconnaissons en lui. On retrouve
en effet beaucoup de caractéristiques humaines
chez le chat. Se peut-il que nous ayons attribué
certains de nos défauts et qualités à l'animal aux
griffes rétractiles ? La littérature a beaucoup parlé
du chat, le décrivant comme un mandarin gras et
cruel, comme une femme amoureuse, comme un
être rebelle ou un représentant du pouvoir... Cet
animal a inspiré l'homme dans ses représentations
les plus importantes, qu'il s'agisse de la liberté,
du pouvoir, de la féminité ou de la divinité. Il fut
honni de la communauté humaine après avoir été

divinisé. Le félin incarne les excès. Il les incarne avec aisance. Et ceci grâce à une qualité qu'on ne pourra pas lui enlever : la flexibilité. Si le chat est devenu un animal si présent dans l'univers de l'homme, c'est qu'il a assimilé que la force primaire n'était pas la solution, y compris quand il s'agit de régner. Quelles que soient les situations qu'il rencontre, le félin a recours à la souplesse, aux solutions flexibles.

Le chat a ceci de commun avec Shakespeare que tout, absolument tout, a été écrit sur lui, y compris qu'il n'existait pas. À nous de prouver qu'il existe. Et s'il a tant inspiré les plumes, c'est qu'à l'instar de Shakespeare, il est l'un des plus puissants miroirs de l'humanité qui fut.

Approchons donc le miroir du chat pour voir si le reflet renvoie l'image de l'homme ou peut-être l'autre part de la psyché humaine, l'inconscient que chacun promènerait comme son ombre – après tout, qu'est-ce qui ressemble autant à une ombre qu'un chat ?

Le libertaire

« Ma race, née libre et indépendante »
E.T.A. HOFFMANN, *Le Chat Murr*

Ne laissez pas la porte fermée. Les félins ne supportent pas ce qui entrave leurs allées et venues, tous les propriétaires de chats vous le diront. D'ailleurs, est-on *vraiment* propriétaire d'un chat ? La question se pose : l'animal n'a jamais obéi à un homme. Les greffiers désirent la compagnie humaine de qualité mais en même temps, à la manière des anarchistes, ils n'ont ni dieu ni maître. Une porte fermée évoque le piège, la fin de la vie sauvage, la rétention dans un lieu mortifère à leurs instincts. Ils vous le font bien comprendre : miaulent pour sortir et rentrer au bout de quelques minutes, ne désirent pas un côté de la porte en particulier, côté cour ou jardin, ils veulent et *exigent* la porte entrouverte. Et prière d'accéder à leur demande. Le chat exprime ici sa nature profonde : il n'est ni totalement sauvage, ni totalement domestiqué, il ressemble aux artistes qui veulent être libres d'inventer, de créer selon leur fantaisie tout en appartenant à la communauté humaine dont l'existence est balisée par les coutumes et les lois. Cette particularité semble contredire le terme de *domestication*, ou alors il faut y ajouter une pointe de sophistication. Le chat serait-il *pseudo-domestiqué* ? Intéressons-nous à l'origine de la domestication.

La maison, l'appartement protègent, créent un endroit clos, la *domus* ancestrale répond à notre besoin de sortir de la sauvagerie. Nous nous sommes organisés pour nous mettre à l'écart des dangers et depuis l'invention de l'agriculture, nous avons partagé notre foyer avec des animaux. Il en est resté des traces : il n'y a pas si longtemps, les montagnards des Alpes, des Pyrénées dormaient sous le même toit que leurs vaches et leurs brebis. Ces animaux utiles pour leur lait, leur chair et leur toison vivaient au rythme de l'homme, réchauffaient gratuitement l'étable communautaire. On utilisait les services d'un chien pour réunir le troupeau. La séparation entre le foyer et l'extérieur était nette. D'un côté le monde sauvage, dangereux, avec ses prédateurs, de l'autre la vie domestique avec ses animaux d'élevage dont l'homme prenait soin et qui lui apportaient nourriture et chaleur ou lui rendaient des services comme en rendirent le chien et le cheval. Il y a eu une époque, au moins en Occident, où l'univers du dedans et celui du dehors étaient clairement séparés. Du moins symboliquement. Un animal sauvage était le contraire d'un animal domestique. Le concept était simple.

L'animal domestique qui nous intéresse est en réalité un transfuge dans ce décor d'Arcadie. Originaire d'Afrique, le chat n'apparaît dans le monde occidental, c'est-à-dire d'abord en Grèce puis dans le monde latin, qu'au milieu de l'Antiquité. Et cela alors même que sa domestication sur le continent africain, en Égypte, a eu lieu sept mille ans avant notre ère. En Égypte, le chat est employé pour protéger les récoltes des rongeurs, et il est divinisé par toute la population. Quiconque tue un chat est mis à mort. Les Grecs découvrent les qualités de cet animal bon chasseur, plus propre que la belette et la fouine utilisées, à l'époque, dans les entrepôts à grains. Ils l'importent pour cet usage mais n'ont pas l'adoration des Égyptiens pour celui que les Latins appelleront *Feles silvestris catus*[1]. Plus efficace, plus propre, et plus *intelligent* que la belette et la fouine. La preuve ? En quelques siècles, *Feles silvestris catus* a réussi un prodige : renverser les mentalités, et on sait que c'est difficile, voire impossible, ou au moins très long. De simple employé *domestique*, plutôt méprisé pour les tâches qu'on lui confie durant des siècles en Occident, le chat est devenu l'animal domestique, le compagnon de l'homme, dont on accepte qu'il reste partiellement

1. Mot composé d'une première étymologie latine : *feles, is*, nom féminin, le second terme *catus* ou *cattus* n'apparaissant que tard dans la langue latine, vers le IVe siècle ; le terme de *Feles silvestris catus* désigne le chat domestique.

sauvage. Il est le seul. Contrairement au chien qui demeure sans conteste un animal dépendant, « en mal d'attention », le chat n'a pas renié certains aspects de sa nature sauvage, ce qui fait de lui une sorte de trouble-fête. Il reste le cousin des tigres et des panthères dont l'état nerveux augmente quand ils sont enfermés dans des cages. Le bonheur des grands fauves dépend viscéralement de l'étendue de leur territoire, les prisons dans lesquelles nous voulons les placer leur sont une injure, une agression. Ils en perdent la tête car leur nature n'aspire qu'à la liberté totale, leur instinct de prédateur absolu n'accepte pas l'organisation humaine de l'espace et ne peut s'y adapter. Idem pour le chat qui s'agace d'être retenu entre quatre murs, tourne furieusement dans une pièce close et tente éventuellement d'ouvrir lui-même les portes en sautant sur les poignées. Le chat, descendant de la famille des grands félins, a réussi un prodige. Il est domestiqué puisqu'il vit sous le même toit que nous *mais* sauvage. Il a su concilier ces deux états antinomiques. Il cherche la protection, la chaleur du foyer et l'affection humaine mais pas question d'être retenu quelque part, il veut circuler à sa guise, être caressé quand il le souhaite. S'il désire le lit, le couvert et l'attention de l'homme, c'est à condition de rester proche de l'essence de ses cousins fauves, ces animaux incontrôlables. Le poète anglais T.S. Eliot fait parler le chat *The Rum Tum Tugger* dans *Old Possum's Book of Practical Cats*[1] (1939), un recueil de poèmes entièrement consacré à des *personnages* de chats qui inspira à Andrew Lloyd Webber la fameuse comédie musicale *Cats*.

« When you let him in, then he wants to be out ;
He's always on the wrong side of every door,
and as soon as he's at home, then he'd like to get about. »

« Quand tu le laisses entrer, il veut soudain sortir ;
Il est toujours du mauvais côté de la porte,
Et dès qu'il est à la maison, l'envie lui prend de se balader. »

Toujours du mauvais côté de la porte. Nous voilà à nouveau obligés d'interrompre toute activité pour ouvrir-fermer, rouvrir-refermer et laisser le chat passer comme une altesse royale. Car bien sûr, l'animal flexible change d'avis en un tourne-main...

Ce qui était par définition impossible, nous l'avons rendu possible. Pour complaire à *Feles silvestris catus*, l'homme contemporain a troué les murs, percé les portes, inventé des chatières pour que les chats puissent aller et venir comme ils l'entendent. Nous avons redéfini le concept de mur en le transformant en gruyère. Quel autre animal nous a poussés à remodeler notre univers

---

1. Tous les ouvrages cités sont référencés en fin de volume.

en fonction de *son* désir ? Quel autre animal est passé du statut d'employé-de-maison-à-la-chasse-aux-souris au maître des lieux capable de décider pour nous ?

Le comble de la liberté est d'être chez soi partout. C'est ce qu'incarne le félin. Comme l'a bien exprimé Guy de Maupassant dans *Sur les chats* : « Il circule comme il lui plaît, visite son domaine à son gré, peut se coucher dans tous les lits, tout voir et tout entendre, connaître tous les secrets, toutes les habitudes ou toutes les hontes de la maison. Il est chez lui partout, pouvant entrer partout, l'animal qui passe sans bruit, le silencieux rôdeur, le promeneur nocturne des murs creux. » Après s'être fait passe-muraille, le chat devient ombre. Il va partout, souple et silencieux, aucun obstacle ne le gêne. Il ne connaît pas l'interdit (quelle chance !), il défie les lois de la pesanteur sur les gouttières.

Derrière cette soif de liberté pourrait se cacher un discours quasi anarchiste. C'est du moins ce qu'a pensé un des plus grands auteurs japonais, Natsume Sôseki, écrivain-chamane qui a su entrer dans la tête d'un *Feles silvestris catus* dans *Je suis un chat*, véritable chef-d'œuvre de la littérature nippone dans lequel le narrateur est un chat philosophe : « Dans quelle mesure les hommes ont-ils apporté leur contribution à la création du ciel et de la terre ? Pas la moindre. Ils ne sont donc pas fondés à considérer comme leur propriété quelque chose qu'ils n'ont pas fait. Admettons encore qu'ils en réclament la propriété ; cela ne leur donne pas le droit d'en interdire la libre entrée aux autres. » Il conclut : « Ces observations m'ont amené à certaines conclusions et je ne me gêne jamais pour aller où je veux. » Voilà qui est dit.

Voilà aussi qui nous parle. Comment ne pas être secrètement convaincu par ce discours ? Comment ne pas aller dans le sens de ce que veut le chat, cette liberté qui nous est chère, pour laquelle l'humanité continue de se battre ? Notre premier réflexe n'est-il pas d'embrasser ce besoin de liberté absolue ? Comme si dans la relation qui nous lie à l'animal nous faisions ce qu'on appelle en psychanalyse une *projection*. Nous donnons au chat la liberté qu'il désire tant car nous aimerions nous l'accorder à nous-mêmes. Dans *La Chatte* de Colette, la relation d'amour qui unit Alain (jeune époux de Camille) à la chatte Saha relève du transfert de sentiment. Alain aime Saha plus qu'il n'aime sa jeune épouse. Le trio classique de la comédie de mœurs se renouvelle sous la plume de Colette avec dans le rôle de la *maîtresse* un animal qu'elle connaissait bien. Un moment retenue dans le nouvel appartement du couple et maltraitée par une Camille jalouse, Saha est sauvée par Alain qui quitte Camille et rend à l'animal le jardin qui a toujours été son terrain de jeu. Ce jardin vu comme un jardin d'Éden dans lequel le jeune homme a vécu les meilleurs moments de son enfance. Voici ce qu'écrit Colette quand Alain libère la chatte de son panier : « Il la sentit couler hors du panier, et par tendresse, il cessa de s'occuper d'elle. Il lui rendit, lui dédia la nuit, la liberté, la terre spongieuse et douce, les insectes veilleurs et les oiseaux endormis. » La terre et le ciel sont les territoires du chat.

Cette exigence de liberté interpelle les écrivains qui rêvent de ce bien absolu : « Libres comme les chats. Et muets comme les pierres où ils vont, où ils sautent, où ils se pelotonnent, où ils se réchauffent dans le rayon de soleil qui colore et qui tombe », écrit Pascal Quignard dans *Les Désarçonnés*. Combien d'hommes et de femmes de lettres reconnaissent chez le chat un même goût pour la liberté et s'identifient au petit félin ? L'assimilation de l'écrivain au chat est un classique en littérature. La liberté n'a pas de prix pour les artistes. Les exemples pleuvent, il nous faut en retenir certains au détriment d'autres. « J'adore la façon qu'ont les chats d'être à moitié dedans à moitié dehors, à la fois sauvages et domestiqués, parce que je suis moi-même sauvage et domestiquée. Ou plutôt je suis domestiquée tant que la porte est ouverte », écrit la romancière anglaise Jeanette Winterson dans *Pourquoi être heureux quand on peut être normal ?* Si un artiste ne savait comment devenir un homme ou une femme libre, le chat pourrait lui servir d'exemple.

L'autocrate

« Il juge, il préside, il inspire
Toutes choses dans son empire. »

BAUDELAIRE, « Le chat »
(*Les Fleurs du mal,* section II)

La nature quasi anarchique du chat ne l'empêche pas d'exercer une forme de pouvoir et/ou d'en incarner certains hauts dignitaires. Affirmons-le d'emblée : le chat n'a pas peur des paradoxes. Il *est* un paradoxe, il n'y a qu'à regarder son corps. Petit, fin, apparemment fragile mais aussi robuste, rapide, et, pour toute une catégorie de proies, mortellement dangereux. Est-il utile de rappeler qu'en dépit de sa taille, *Feles silvestris catus* n'est la proie d'aucun prédateur sur terre ? Le chat est un tigre. N'était sa taille.

Serait-ce le mystère de son regard impénétrable qui le rendrait « hypocrite », l'élégance hautaine de ses positions, assis et en sphinx, ou sa fourrure toujours impeccable ? On a souvent représenté le chat sous les traits d'un grand seigneur. Dans la plupart des cas, il faut bien le reconnaître, ce grand seigneur était perçu comme égoïste et pervers. Quand Rabelais veut se moquer des magistrats, il

33

les compare à des *chats fourrés*, terme qui fait référence au manteau d'hermine porté par les juges, vêtement coûteux fabriqué avec de très belles fourrures. Cette appellation rappelle aussi les caractéristiques du félin. À l'époque de Rabelais, au début du XVIe siècle, le chat est perçu comme un animal fourbe, égoïste, cruel. Dans *Pantagruel* (1532), Grippeminaud, archiduc des chats fourrés – est ainsi désigné le premier président du parlement de Paris – vit *de corruption* tout comme ses complices. Le mot Grippeminaud est passé dans la langue et signifie *un homme fin et hypocrite*. C'est encore Rabelais qui invente le nom Raminagrobis pour parler d'un Prince des Chats. La sonorité assez éloquente évoque l'embonpoint qu'on ne rencontre à l'époque que chez les puissants : il faut avoir les moyens de faire bombance, donc seuls les riches sont gras et ont la goutte... Quant à la première partie du mot, elle remonte étymologiquement au verbe *raminer* qui signifie « ronronner ». On retrouvera ce Raminagrobis plus tard dans la fable de La Fontaine *Le Chat, la Belette et le Petit Lapin*.

De la critique des gens de loi, l'écrivain en vient à celle des hommes d'église, moines, abbesses et pape. Ces hommes de pouvoir sont eux aussi des chats puissants. Que l'auteur de *Pantagruel* parle à leur propos de *chattemites*, de *chattemitesses* ou de *chattemitillons*, on aura compris que ces qualités-là sont dépréciatives. Les ermites et les femmes de religion sont brocardés. Les premiers sont des « hypocrites, hydropiques, pâtenotriers, chattemites, sauterons, cagots », les autres des « hypocritesses, chatemitesses ». Le pouvoir qu'on prête aux chats derrière ces métaphores souligne avec quelles attitudes fines et sournoises les félins se rendent maîtres des situations et savent régner, peut-être sans éthique, mais avec aplomb et sans partage. Ainsi, *faire la chattemite* signifie « faire l'hypocrite », « tromper son monde ». La Fontaine qui met en scène les débats des « petits souverains se rapportant aux rois » dans *Le Chat, la Belette et le Petit Lapin* ne dit pas autre chose. Les candides belette et lapin chicanant pour un bien de propriété seront dévorés à la même enseigne par un chat, « arbitre expert sur tous les cas », à qui ils ont eu l'imprudence de demander un avis. La description du matou royal rappelle par de nombreux aspects le Prince des Chats fourrés de Rabelais. L'animal est décrit comme un homme d'église (« dévot ermite », « bon apôtre » : toujours cette apparence vertueuse dont on sait déjà qu'elle est mensongère) qui a profité de sa position sociale pour engraisser et régner tel un autocrate. Il est assis sur des coussins, il domine toutes les situations, il incarne la loi (« Jean Lapin pour juge l'agrée ») et il n'a même pas à faire d'effort pour anéantir autrui car les deux plaignants ont eu la naïveté de le croire sourd et se sont approchés. À leurs risques et périls. Le règne de « sa majesté fourrée » est sans partage.

Quelque chose chez le chat fait de lui un être naturellement dominant. S'inspirant des textes de T.S. Eliot sur les chats, le metteur en scène et scénariste Trevor Nunn interroge le spectateur dans le prologue de la comédie musicale *Cats* :

« *Dare you look at the King ? Would you sit on His throne ?*
[…]
Because
Jellicles can and jellicles do. »

« Oses-tu regarder le roi en face ? T'assiérais-tu sur son trône ?
[…]
Parce que
Les chers petits chats peuvent et les chers petits chats osent. »

(Le terme de *jellicles* est une abréviation de *dear little cats*, « chers petits chats », faite à l'adresse des enfants.)

Cette audace, ce *fantasme* du félin à incarner le souverain ont été perçus, décrits dans des sociétés aussi différentes des nôtres que celle du Japon. Le chat de Natsume Sôseki raconte : « Un après-midi, je dormais comme d'habitude sur la véranda, en rêvant que j'étais un tigre. […] C'est alors qu'un éclat de voix tonitruant a ébranlé toute la maison et que je me suis réveillé, redevenu chat, sans avoir

36

eu le temps de déguster mon rôti de bœuf. Mon maître qui jusque-là s'était prosterné craintivement devant moi a brusquement changé d'attitude. »

Décidément, notre *catus* ne s'est pas installé en hauteur pour rien car il en impose. A-t-il vraiment conscience de sa taille et son poids ? Déployer la dignité et l'arrogance d'un tigre ou d'un lion n'est-il pas présomptueux ? Les critiques, les mauvais esprits peuvent bien moquer le chat dans sa prestance. Notre animal a déjà convaincu les observateurs que s'il n'est plus le félin qui constituait un redoutable danger pour nos ancêtres du paléolithique, il demeure persuadé d'être au sommet de la pyramide des espèces.

Ce qui explique sans doute son regard que beaucoup jugent *hautain*. Une anecdote sur ce sujet a été rapportée à propos de Winston Churchill. Propriétaire d'une ferme, *Chartwell Farm*, le Premier Ministre britannique faisait visiter le lieu à des proches, révélant à tous sa préférence pour les cochons – il avait d'ailleurs coutume de dessiner un petit cochon près de sa signature dans les lettres destinées à sa femme. Son biographe décrit Churchill flattant l'échine d'un porc et prononçant cette phrase lapidaire : « Les chiens vous regardent tous avec vénération. Les chats vous toisent tous avec dédain. Il n'y a que les cochons qui vous considèrent comme leurs égaux. » L'intelligence politique n'exclut pas la clairvoyance animalière…

Deux hommes d'État qui ont marqué l'histoire de France étaient connus pour aimer les chats à une époque où il n'était pas l'animal choyé des foyers : Richelieu (1585-1642) et Mazarin (1602-1661). Est-ce un hasard si ces personnages étaient des hommes d'église portant la robe rouge, cardinaux d'une redoutable intelligence ? L'un et l'autre auraient pu être la cible d'un brocard rabelaisien, il est même troublant de constater comme ces prélats ressemblent aux caricatures de dangereux dévots dont Rabelais s'est rendu maître et qui ont, d'une certaine façon, précédé la réalité historique. Prudents, sans doute machiavéliques, Richelieu et Mazarin savent se rendre indispensables au souverain ; forts de leur habileté, ils progressent dans les sphères du pouvoir comme des félins. L'un et l'autre contribuent au renforcement de l'absolutisme royal. Ce sont des *jésuites*, pour Mazarin le terme s'applique au sens strict, clérical. Des hommes d'église raffinés, parfaitement conscients des enjeux de pouvoir et qui finissent par occuper le premier poste d'influence. *Comme des félins ?* Avec quelle patience savent-ils attendre le bon moment pour revenir dans les grâces royales et prendre les commandes de nombre de décisions politiques. Rappelons-nous l'attitude d'un chat qui chasse : sa patience immobile, cette façon si particulière de détourner le regard de sa proie tout en l'observant quand même, une feinte qui vise à endormir la prudence du rongeur ou de l'oiseau. Le chat peut s'asseoir et assister au spectacle frénétique d'une proie qui lutte pour sa survie, sort de son trou pour chercher sa nourriture. Durant ce temps, il observe. Il étudie les mouvements, les endroits où l'animal se replie. Il a tout son temps. Et quand le moment arrive, il se tapit d'une certaine façon, menton près du sol et pupilles dilatées. Vient le bond, s'ensuit la prise de la proie.

Louvoyant, griffes rétractées mais prêtes à servir, Richelieu et Mazarin sont, à leur époque, des personnalités politiques peu aimées. Allons plus loin : les deux cardinaux ont-ils hérité leur personnalité des chats ou ont-ils aimé les chats à cause de leur personnalité ? Qui a transféré quoi chez l'autre ?

Penser au chat, c'est concevoir la prédation. Le pouvoir de tuer ne lui est pas exclusif mais il est le sien. Si ses griffes étaient des armes, elles seraient des épées affûtées. Dans *Roméo et Juliette*, Tybalt, le cousin de Juliette, est appelé *Prince of Cats* car il est une fine lame, il peut vous envoyer un ennemi *ad patres* en trois mouvements... D'une certaine façon, le pouvoir du chat, c'est celui de vie et de mort. Le chat a compris, comme le dit Montaigne, que : « Chasser sans tuer c'est aimer sans jouir. »

Penser le chat, c'est également penser le paradoxe. L'attitude impériale ne fait pas oublier les proportions de l'animal. De taille modeste, pesant en général moins de six kilos, qui pourrait bien avoir peur de lui ? Et pourtant, le petit félin a su tourner en avantage cette morphologie modeste. Conscient de cet état de choses, le chat de Natsume Sôseki déclare : « Si l'on recourt à la force, un enfant haut comme trois pommes peut faire ce qu'il veut de moi, mais si l'on considère la chose du point de vue de l'amour-propre auquel les hommes attachent tant d'importance, Suzuki Tojuro lui-même, bras droit de Kaneda, ne peut rien se permettre contre Moi, Chat des Chats, divinement présent au milieu des coussins. »

L'atout du chat est d'avoir assimilé que l'utilisation de la simple force n'est pas payante. La souplesse est une arme plus efficace quand on désire le pouvoir. Il y a plus de ténacité, de résistance dans les solutions *flexibles*.

Interrogeons-nous sur le concept de *flexibilité*. Ce terme comme tant d'autres a été dévoyé par le monde de la marchandisation et de l'entreprise. Comment un substantif désignant un concept aussi gracieux que l'élasticité a-t-il pu justifier la violence sociale qui a cours dans le monde entier – délocalisations, baisse des salaires, etc. ? Analysant ce terme, il n'est pas étonnant de penser au chat. Cet animal incarne dans toute sa beauté la notion de malléabilité, mais cette notion sous sa forme féline est bien plus séduisante que la pression économique qui force les gens à s'adapter à des exigences de profit.

Penser la flexibilité, c'est évoquer le caoutchouc, matière malléable qui a rendu maints services aux hommes, mais on pourrait tout aussi bien penser aux élastiques si utiles, et ludiques. Il y a de la souplesse, de la douce résistance dans ce terme. Rappelons-nous les qualités des gymnastes. Qui n'a pas admiré la souplesse insolente de ces athlètes défiant les lois de la pesanteur, jouant de l'équilibre avec leur corps ? Les jeunes hommes pendus aux anneaux, biceps tendus. Et les saltos des gamines roumaines. Si le chat devait s'incarner en un être humain, il aurait ce corps élastique d'athlète. Extension des muscles, souplesse du mouvement, réactions précises, le félin nous apprend que la vraie flexibilité est une qualité triomphante qui lui permet d'être par ailleurs paresseux, jouisseur et voluptueux.

Observons le corps de notre *catus* : quelle élasticité de la tête à la queue. Comme il grimpe, s'élance, se faufile, et retombe bien entendu *toujours sur ses pattes*… Caresser un chat nous en apprend à ce propos, nous découvrons son corps en l'observant mais surtout en le touchant. Il ne reste qu'à lire Baudelaire, grand amoureux de cet animal :

« Lorsque mes doigts caressent à loisir
Ta tête et ton dos élastique,
Et que ma main s'enivre du plaisir

41

de palper ton corps électrique,
Je vois ma femme en esprit. »
(Extrait de « Le chat », *Les Fleurs du mal*.)

« Élastique », « électrique », pour ne pas dire flexible...

Il est à parier que les Orientaux qui inventèrent les arts martiaux se sont inspirés des aptitudes du chat. Il évite les coups, économise son énergie, développe la résistance, valorise la rapidité plutôt que la force : c'est l'art martial du chat. Une aptitude corporelle dont l'animal aurait hérité en naissant. Flexible sans effort, naturellement.

Bien utilisée, la flexibilité protège. « Quand la raison est de notre côté mais la force contre nous, nous pouvons soit faire violence à notre bon droit et nous soumettre, soit agir selon nos lumières à l'insu des puissants. Il va de soi que je choisis la deuxième solution. Je ne peux pas ne pas fuir un coup de palanche ; donc je ne peux pas ne pas me faufiler », confie au lecteur le chat de Natsume Sôseki.

Cette souplesse alliée à la résistance serait-elle un cadeau des dieux au chat ? À bien des égards, ce corps-là nous paraît miraculeux. Si élastique qu'il fait des miracles. D'ailleurs, nous nous en étonnons toujours. Comment un chat peut-il passer quand une porte n'a été entrouverte que de quelques centimètres ou se faufiler dans des trous à peine plus gros que des habitations de souris ? Surprendre *catus* en haut d'une armoire, dans une armoire ou sous une armoire ne devrait plus nous étonner, et pourtant... Comme le dit T.S. Eliot, certains chats défient les lois de la gravité, et leurs « pouvoirs de lévitation étonneraient même un fakir » (*Macavity, the Mystery Cat*, in *Old Possum's Book of Practical Cats*).

Bien utilisée, la flexibilité – qui engage et le corps et l'esprit si elle est un art martial – peut devenir une arme redoutable. Le plus bel exemple se trouve dans *Le Chat botté* de Charles Perrault.

L'agilité devient dans ce conte la caractéristique de l'intelligence du chat d'un meunier que son fils benjamin reçoit en héritage. Le troisième fils se croit d'abord lésé en faveur de ses frères. L'aîné a reçu le moulin et le cadet, l'âne. Il s'apprête à manger le chat (l'époque était à la famine) mais l'animal se révèle doué de parole et convainc son jeune maître qu'il peut faire sa fortune. Il ne demande qu'un sac et une paire de bottes grâce auxquels il capture un lapin dans la forêt qu'il offre au roi au nom de son maître « le marquis de Carabas ». Le Chat multiplie les hauts faits. Un jour, sachant que le roi et sa fille voyagent le long de la rivière, il persuade son maître de retirer ses vêtements et d'entrer dans la rivière. Il cache les habits de son maître derrière un rocher, puis appelle à l'aide. Lorsque le roi arrive, le Chat explique que son maître, le « marquis de Carabas », s'est fait dépouiller de ses habits alors qu'il se baignait dans la rivière. Le roi offre de riches vêtements au jeune homme et l'invite à s'asseoir dans son carrosse aux côtés de sa fille qui tombe instantanément amoureuse de lui. La scène suivante conclut l'anoblissement et la fortune du « marquis de Carabas ». Après avoir parcouru la campagne et ordonné aux paysans de dire que la terre traversée par le carrosse du roi appartient au « marquis de Carabas », le Chat entre dans le château occupé par un ogre capable de se métamorphoser en toutes sortes d'animaux. D'abord effrayé quand il se transforme en lion, le Chat défie l'ogre de prendre la forme d'une souris. Le monstre s'exécute, le Chat bondit et le dévore. Le roi arrive ensuite dans le château, et, impressionné par l'ampleur des biens du « marquis de Carabas », offre sa fille au meunier. Le Chat devient grand seigneur et ne court après les souris *que pour se divertir*.

Le conte existe en anglais. *Puss in Boots* est le triomphe du chat *trickster*, un chat capable de faire des tours.

Fort en rhétorique, supérieurement intelligent, le Chat du « marquis de Carabas » peut rappeler les fins courtisans, les habiles politiques déjà décrits chez des auteurs antérieurs – Rabelais et La Fontaine par exemple. La particularité de ce conte-là, c'est de montrer son ascension sociale. De chat de meunier, le Chat devient grand seigneur. Il a été capable de *s'étirer* d'un bout de l'échelle sociale à un autre qui lui est supérieur. L'animal physiquement flexible a développé son intelligence et s'est *élongé* jusqu'à son zénith.

Il est arrivé dans l'histoire que certains serviteurs permettent à leur maître de franchir les échelons de la hiérarchie sociale, sans pour autant oublier leurs propres intérêts. Mais si on veut pousser plus loin l'analyse, on peut également identifier le Chat au meunier, imaginer qu'ils ne sont qu'une seule et même personne. Un individu ambitieux et capable.

Selon l'écrivain Patrick Rambaud, un homme en particulier mérite le titre de Chat botté. Cet homme intelligent, un des plus grands arrivistes que la terre ait portés, aura meurtri la société française pour obtenir une place d'empereur. Homme hors du commun à l'ascension unique, son nom, sculpté sur nos monuments, sonne comme une charge de cavalerie. Il suffit de quelques lignes à l'auteur pour présenter ce chat qui a fait irruption dans l'histoire avec ses bottes et son goût du pouvoir : « Je vous raconte ici l'ascension d'un homme. Petit, maigre, avec un drôle d'accent, des cheveux raides et des yeux bleus, il a vingt-cinq ans, il s'impatiente : il n'est rien et il veut tout. Général en disgrâce, il monte de Marseille à Paris au printemps 1795. Après la chute de Robespierre, le pays est en plein chaos. [...] À force d'intrigues, de coups de gueule ou de caresses, notre général va réussir. En une saison il écrase une émeute royaliste, épouse la vicomtesse de Beauharnais et se retrouve à la tête de l'armée d'Italie. Sur la route de Nice où il part rejoindre ses troupes pour les lancer en Lombardie dans une guerre de pillage, il francise son nom italien facile à écorcher. Désormais, il va s'appeler Bonaparte. »

Ainsi, le Chat botté s'incarne en Bonaparte. Une chose est sûre : le Chat botté, lui, n'a jamais douté qu'il parviendrait au sommet de l'État.

Le règne du chat n'est donc pas dû au hasard. Il est le fruit d'une longue évolution et d'une collaboration avec l'humain. Qu'il se confonde ou se dissocie de son maître, le chat sait mettre sa flexibilité au service de l'autocratie.

La femme

« On a remarqué que de tous les animaux,
les femmes, les mouches et les chats sont ceux
qui passent le plus de temps à leur toilette. »

Charles Nodier

Ondulations du corps, souplesse de la démarche, un brin cyclothymique – passant du calme à l'humeur hystérique –, les yeux en amande et comme maquillés de mascara au point qu'on peut se demander si les Égyptiens n'ont pas copié la finesse du trait, l'arc noir autour de l'œil qui embellit le visage, caresses et griffes, fourrure soyeuse… Dire d'une femme qu'elle est féline, c'est souligner sa féminité, exciter la curiosité, voire le désir. Dans certaines langues, le terme générique pour désigner le chat est un nom féminin. C'est le cas dans la langue latine classique : *feles, is*, et en allemand *Die Katze*. Le chat *est* un animal féminin. Le chat séduit, le chat exaspère, le chat est un continent noir immergé dans notre inconscient.

Il y a de la séduction dans le comportement d'un chat qui désire se faire adopter, aimer, ou plus prosaïquement qui veut obtenir un morceau de nourriture de notre assiette… La caresse du chat est volupté, elle sollicite tout le corps de l'animal du museau à la queue, elle est un acte sensuel qui charme notre main. Et quand il s'éloigne, soudain lassé de ce contact physique, il semble nous ignorer, voire nous snober, se met à sa toilette comme si sa pureté, son hygiène avaient été troublés et que ses seuls soins pouvaient les lui rendre. Personne ne le forcera à la caresse s'il ne la désire pas – ou sinon, gare au coup de griffes ! Ses gestes sont subtils jusqu'au raffinement. Et quand la nuit, il s'éveille et se met à chasser ou à s'agiter comme s'il avait *le diable au corps*... Ce « il » pourrait être un « elle ». Ce « il » tend vers le « elle », naturellement.

Souvenons-nous du film de Jacques Tourneur *La Féline* dont le titre original est *Cat People*. Irina Dubrovna (interprétée par Simone Simon), une belle jeune femme originaire de Roumanie, vit à New York sans pour autant avoir trouvé ses marques. Enfin, pas tout à fait. Irina est mystérieusement attirée par une panthère du zoo qu'elle vient observer régulièrement. Elle passe de longues heures à admirer l'animal à la robe étincelante. Ce spectacle devient un rituel. Un jour, elle fait la connaissance d'un architecte appelé Oliver Reed (Kent Smith), tombe amoureuse, l'épouse. Mais la jeune femme demeure obsédée par l'idée qu'elle est une descendante d'une famille de femmes-chats célèbres en Roumanie. Ces femmes, présentes en petit nombre sur le Nouveau Continent, se reconnaissent entre elles comme des animaux d'une même espèce. Elles sont fines, prédatrices, dangereuses. Inquiet de la voir toujours hantée par cette idée qu'il considère comme de la superstition, son époux l'incite à consulter un psychiatre. Rien n'y fait. Le mariage se délite et Oliver décide de divorcer. Il vient de tomber amoureux d'une autre jeune femme : Alice (plus simple, plus « normale »). La jalousie éveille la fureur d'Irina qui va devenir fauve au sens propre et traquer la jeune femme avec la cruauté d'une panthère… En choisissant de filmer les ombres dès qu'il est question de prédation, Tourneur suggère le danger d'une façon très efficace. Le jeu d'ombres et de lumières, le clair-obscur de ses plans rendent palpables la peur et la détresse des protagonistes. Les deux femmes-chats qui apparaissent dans ce film, bien que très différentes l'une de l'autre, rappellent la séduction de l'animal à la beauté chaloupée, son mystère toujours lié à l'obscurité. Les femmes félines sont des énigmes, des êtres hantés, liés à une histoire ancienne qu'on ne peut imaginer débuter qu'en Europe, cette Europe que les Américains appellent le Vieux Continent. Car l'histoire des femmes-chats a commencé dans un pays de légendes. Sur des terres déjà connues pour avoir abrité l'inquiétant comte Dracula, créature nocturne elle aussi… Les femmes-chats sont sanglantes. Du moins potentiellement. Attention à celui ou celle qui a éveillé leur colère, qu'il se souvienne qu'elles peuvent laisser libre cours à leurs instincts tueurs.

Qui voudrait finir sous leurs griffes furieuses ? Et leur beauté n'en est que plus exaltée.

Que de points communs avec la créature dont parle Paul Verlaine :

> « Elle cachait – la scélérate ! –
> Sous ses mitaines de fil noir
> Ses meurtriers ongles d'agate,
> Coupants et clairs comme un rasoir. »
> (Extrait de « Femme et chatte », *Poèmes saturniens.*)

La femme séduit comme une chatte. La chatte séduit comme une femme. Et l'une et l'autre s'associent dans notre esprit. Colette s'est aussi amusée de cette ambivalence féminine et féline, de l'effet miroir entre les deux. Dans un poème intitulé « La chatte au miroir », du recueil *Autres bêtes, Chats de Paris*, l'écrivain imagine une scène de jalousie entre une chatte coquette et son reflet dans le miroir, l'animal n'ayant pas conscience que c'est sa propre image qu'il scrute. Elle toise son reflet, se tourne et se retourne, furieuse...

Observons davantage la ressemblance entre chatte et femme présente dans les textes.

Au même titre que le recueil de poèmes de T.S Eliot *Old Possum's Book of Practical Cats*, *Peines de cœur d'une chatte anglaise* de Balzac est une œuvre à part, écrite pour les enfants. En réalité sans doute encore plus appréciée par les adultes. L'esprit, l'humour, les allusions à la société anglaise

– dans les deux œuvres citées – révèlent la forme pure du génie de leurs auteurs.

De quoi est-il question dans *Peines de cœur d'une chatte anglaise* ? De l'éducation, de l'apprentissage d'une jeune lady, chatte blanche remarquable de beauté et pour cette raison baptisée Beauty, élevée dans les plus grandes maisons de l'aristocratie anglaise dont la vie parfaitement *proper* l'amène à se fiancer avec Puff, milord angora « aux couleurs de la maison d'Autriche ». La jeune beauté suit l'éducation anglaise à la lettre, incarne la *respectability*… et tombe sous le charme de celui qui n'aurait pas dû croiser sa route. Le jeune Brisquet, félin français, aventurier sans le sou, intrépide, artiste, bien sûr, **mais** descendant du Chat botté, affirme-t-il. Ah, le fantasme du héros aristocratique chez Balzac… Beauty, séduite mais soucieuse des convenances, commence par mimer l'indifférence, rappelle au jeune audacieux « la majesté du *can't* anglais », bien qu'elle cède plus qu'elle ne le croit. Soudain, la belle découvre le charme du naturel, d'une certaine culture française où les amants se couvrent de mots tendres. Et c'est justement un mot qui la perd aux yeux de Puff et de la société entière. Appelant son mari « mon petit homme » (l'équivalent du « petit chat » des humains), la belle chatte est accusée de Criminelle Conversation pour s'être compromise en tant qu'épouse avec un chat d'une classe sociale inférieure, et jugée devant les Doctors' Commons, pendant animalier du parlement anglais, alors que le fougueux Brisquet tombe sous les coups des gens de Puff.

« Apprenez à souffrir mille morts plutôt que de révéler vos désirs », écrit Balzac au commencement de l'histoire. Cet adage terriblement victorien rappelle l'univers d'un autre grand du siècle : Barbey et ses *Diaboliques*, plus particulièrement les personnages du *Rideau cramoisi*. Une jeune fille froide, secrète et muette se livre avec la dernière fureur à un beau militaire hébergé par ses parents dans le dos de ceux-ci et sous leur toit et sans, bien sûr, qu'ils ne soupçonnent quoi que ce soit. Convenances, feu sous la glace, tromperie… érotisme.

Érotisme suggéré, certes : cette histoire comme les quatre autres nouvelles qui constituent l'ouvrage de 1840 sont destinées aux têtes blondes mais Balzac, très à l'aise dans ce registre, restitue la version féline de certaines de ses héroïnes les plus troublantes : merveilleusement contenues en public, secrètement brûlantes (*La Duchesse de Langeais*). Et quelle est la société du XIXe siècle la plus avancée, la plus intraitable dans le domaine du paradoxe ? L'Angleterre, évidemment. Étroite, guindée, verbalement corsetée : autant de caractéristiques qui concernent aussi bien l'intime que le politique. Outre-Manche, chez la faune féline du XIXe siècle, les clubs et les sociétés fleurissent, cachent les complexités de la vie sociale. Et si la société Ratophile (société protectrice des rats) est estimable, c'est qu'on a déclaré qu'il était, dans l'ordre d'importance, non seulement vulgaire mais également cruel de courir après souris et autres rongeurs... alors qu'en réalité, le but de ces associations privées – nous apprend un milord – est de développer le mercantilisme britannique par un moyen ingénieux.

Quand la perversité des mœurs anglaises s'est étendue aux bêtes... Nul n'a besoin de faire référence à *La Ferme des animaux* de George Orwell pour y voir le pire de la société humaine qui accuse et détruit ceux qui s'aventurent hors du cercle. La fable animalière a beau aller à l'essentiel, elle possède souvent plusieurs niveaux de lecture.

De Beauty, l'auteur dit que « Byron l'eût adorée ». Elle a la beauté de celles qui savent sauver les apparences pour mieux « sacrifier [*ensuite*] les convenances, avec d'autant plus de charme qu'*[elles se seront]* plus retenue*[s]* en public ». Tout un programme.

On a vu, on voit encore des chats remplacer des femmes dans l'affection de certains hommes. Moins dépensiers, moins exigeants, légèrement plus fidèles, les chats ont su devenir de petites amoureuses pour des hommes atrabilaires, râleurs, souvent lettrés. Songeons à Léautaud, grand collectionneur et amoureux des petits félins au dernier degré. Lui qui savait prendre soin de ses bêtes et ruminait contre le genre humain : « Chaque fois qu'une maîtresse me quitte, j'adopte un chat de gouttière : une bête s'en va, une autre arrive. » N'est-ce pas, dissimulée sous la bile misanthropique, la plus belle des déclarations d'amour ? Et la preuve même que le chat est *une compagne* ? L'avantageux remplaçant de l'amante problématique. L'homme de lettres eut peut-être beaucoup de maîtresses, nous en savons peu ou prou, mais ce qui est certain, certifié, déclaré, c'est qu'il eut « au moins 300 chats », « Pas tous à la fois, mais ma moyenne c'était une trentaine de chats et une douzaine de chiens ». Ce genre de don-juanisme existe plus qu'on ne l'imagine. Ces hommes célibataires qui préfèrent les chats aux femmes se croisent dans certaines zones urbaines abandonnées, ou des cimetières. Ce sont ces messieurs qui viennent donner de la nourriture à des greffiers en liberté et vous lancent un regard torve si vous les observez, l'air de dire : « Regardez ailleurs, ma vie amoureuse n'est pas votre affaire. » Faire cette expérience est toujours mémorable, et l'on repart sur la pointe des pieds. Montherlant a peint de tels personnages avec beaucoup de justesse. Dans un roman intitulé *Les Célibataires* (1934), il met en scène la vie quotidienne de deux vieux garçons incapables de s'insérer socialement (et ne le voulant pas d'ailleurs). Élie de Coëtquidan, gentilhomme breton à l'humeur assassine, retranché dans sa maison avec le « jeune » (tout est relatif) Henri de Coantré, peste à tout va, hait le monde dans sa totalité, les hommes politiques en particulier, mais a un péché mignon : l'animal élastique. Ce bloc de granite ne s'attendrit qu'en leur présence. Il est capable de faire des kilomètres pour retrouver un chat avec lequel il a sympathisé, connaît les bonnes adresses, troquets ou restaurants où l'on peut croiser quelques petits félins. « M. de Coëtquidan jouissait d'un grand prestige auprès des chats. Il savait les caresser à la naissance de la queue, entre les pattes, etc., toute une façon de patiner les chats qui n'est guère connue que des célibataires. Il les rendait fous. » C'est comme si l'homme avait canalisé son affection, voire, osons le dire, sa libido sur l'animal à fourrure soyeuse. Des mots doux, des caresses et un amour fervent, voilà ce qu'ont su inspirer les chats au vieux gentilhomme déchu. Un ersatz de vie amoureuse.

Cet « ersatz » peut même être plus fort qu'un lien conjugal. Si la vie d'un chat peut aller jusqu'à quinze ans, elle dépasse la moyenne de vie d'un couple. À tout choisir, certains préfèrent le chat/la chatte à la compagne. Avec Colette, on peut être sûr que les déclarations d'affection à la gent féline vont sonner comme des chants d'amour. Dans *La Chatte*, Alain couvre la chatte Saha de mots d'amour qui feraient frémir la femme la plus difficile. « Ô ma coureuse sous la pluie, ô ma dévergondée… » Le jeune homme sait interpréter les moindres gestes et réactions de Saha. C'est avec cette chatte qu'il forme un couple, plus qu'avec sa jeune épouse Camille. Par moments, ses déclarations de passion pour Saha ont cette familiarité des vieux couples : Saha est « son petit ours à grosses joues », « son pigeon bleu », son « démon couleur de perle ». Saha se comporte souvent comme une maîtresse exigeante. Sachant manifester sa passion pour le jeune homme : « Elle ronronnait à pleine gorge, et dans l'ombre elle lui donna un baiser de chat, posant son nez humide, un instant, sous le nez d'Alain, entre les narines et les lèvres. Baiser immatériel, rapide, et qu'elle n'accordait que rarement... » Colette souligne son « regard plein de loyal et exclusif amour ». Sachant aussi griffer comme une amante incontrôlable et dangereuse (d'autant plus femme pour cette raison) : « Il voulut caresser le crâne large, habité d'une pensée féroce, et la chatte le mordit brusquement pour dépenser son courroux. Il regarda sur sa paume deux petites perles de sang, avec l'émoi coléreux d'un homme que sa femme a mordu en plein plaisir. » *Mordu en plein plaisir*, voilà qui suggère la force érotique de la femme qui se métamorphose en furie. D'ailleurs, l'écrivain a pris soin de prévenir le lecteur que dans cette boîte crânienne de chat la violence est présente, la sauvagerie prête à bondir. Bon vieil adage qui dit qu'une bête vit dans chaque femme. Le couple est là avec sa passion, ses mots doux, ses morsures et griffures et bien sûr avec sa jalousie. Que la chatte soit jalouse de la présence, de la jeune épousée Camille, c'est un fait. Mais ce n'est pas tout, Alain aussi est jaloux des « amants » de Saha. Aussi dit-il : « Tu n'es pas qu'un pur et étincelant esprit de chat, toi non plus [...]. Ton premier séducteur, le matou blanc sans queue, rappelle-toi, ô ma laide... » Si ces mots ne sont pas un chant d'amour, il n'y a jamais eu de chant d'amour.

Personne n'a autant exalté la féminité des chats que Baudelaire. L'œuvre qu'il leur dédie est un véritable poème érotique. L'animal nocturne est caressé par le poète avec un délice des sens que tout écrivain pourrait envier. Il les observe, les peint avec l'admiration voluptueuse qu'on réserve en général aux femmes, est ensorcelé par leurs yeux (« leurs prunelles mystiques » – « Les chats », in *Les Fleurs du mal)*, fasciné par leurs « reins féconds »… Il les appelle, les convie au plaisir, un plaisir d'amant : « Viens, mon beau chat, sur mon cœur amoureux. »

Il s'agit alors de caresses qui ne finissent pas, d'enivrement, de parfums (la fourrure odorante du chat), et de « voir *[s]*a femme en esprit ». Cet émoi des sens n'est en principe accepté qu'entre êtres humains, pendant l'acte d'amour. Le poète peint chaque étape d'une nuit sensuelle. Si Baudelaire n'avait pas tant de talent, le lecteur prude détournerait les yeux de cette concupiscence manifeste.

De l'érotisme à l'hystérie, il n'y a qu'un pas. La séduction a ses dangers, sa folie. Il arrive que des femmes frustrées sexuellement, émotionnellement, deviennent des félins en souffrance. Rappelons-nous *La Chatte sur un toit brûlant* (1958), ce splendide film de Richard Brooks adapté de la pièce éponyme *Cat on a Hot Tin Roof* (1955) de Tennessee Williams. Dans la touffeur du Sud des États-Unis, Margaret, interprétée par Elizabeth Taylor, brûle de désir pour Brick, joué par Paul Newman, son mari qui la néglige et qui soigne sa dépression à coups de whisky. Margaret, folle d'amour, suppliante, se perçoit – de la même façon qu'elle est perçue par les autres – comme une chatte affolée par un désir qu'elle ne contrôle pas et qui durera tant qu'elle ne sera pas touchée par Brick. Il est un désir féminin qui n'est qu'appel, tourments de frustration, plainte animale et qu'un homme aussi subtil que Tennessee Williams a su pressentir et exprimer jusqu'à la vibration la plus émouvante. Margaret est Maggy la chatte, l'amoureuse, la femme désirante qui déclare à Brick, hanté par la mort de son bon ami Skipper (ami ou plutôt ami de cœur, l'ambiguïté réside) : « Si je pensais vraiment que jamais plus tu ne me feras l'amour, jamais, jamais, jamais, je courrais à la cuisine prendre un long couteau, un couteau long et mince, qui entrerait, d'un coup… je peux te le jurer ! » L'allusion sexuelle est explicite… Désir certes, mais désir décidé. Pas un de ces désirs néo-contemporains qui se lassent et s'usent et déclarent forfait dès que les obstacles s'accumulent. La passion de Maggy la chatte pour Brick survivrait au feu (d'ailleurs n'a-t-on pas brûlé les chats au Moyen Âge en pensant qu'ils étaient des créatures maléfiques ? Et n'ont-ils pas survécu en tant qu'espèce ?). Maggy la chatte connaît sa résistance : « Je reste sur le ring jusqu'au dernier coup de gong, et je vaincrai, tu verras… Et quelle est la victoire d'une chatte sur un toit brûlant ?…

Peut-être d'y rester jusqu'au-delà du possible. »
Tennessee Williams a bien observé les chats – dans
sa nouvelle *Malédiction* parue avec *Le Boxeur manchot*, Lucio, un ouvrier qui a perdu son travail à
l'usine puis son logement, souffre de la disparition de sa chatte Nitchevo. Quand il la retrouve
blessée à mort, il refuse de lui survivre. Margaret
est une féline, sans conteste, elle est décrite telle
quelle. Chacun de ses gestes évoque sa condition
félidée. Elle se jette aux pieds de Brick, s'age-
nouille devant lui, mi-suppliante, mi-caressante, et
elle rappelle combien « elle est vivante, contrairement à Skipper ». Les autres personnages de la
pièce l'entendent supplier Brick chaque soir, et
lui la repousser... Voilà bien là le comportement
des chattes « amoureuses ». Margaret, personnage
charnel par excellence : « La vie, c'est quelque
chose d'acharné, de furieux, et Maggy l'a dans le
ventre... Quelque chose d'acharné et de désespéré
qui ressemble à Maggy. » On connaît l'adage latin :
*Tota mulier in utero. La femme tout entière est
dans l'utérus.* Il semblerait que cette sentence soit
la version plus « humaine » de « La chatte tout
entière est dans son ventre ».

Il y a une dimension quasi démente dans cet appel
amoureux. Souvenons-nous des chattes adultes
quand elles ont leurs chaleurs. Leurs miaulements
déchirants, incessants, la plainte langoureuse qui
leur parcourt le corps, les prive de tout repos (et
nous avec elles car le pire de ces crises érotiques

les saisit la nuit), leurs caresses insistantes, l'impudeur de leurs mouvements… Quelle autre espèce animale en arrive à de telles extrémités ? Pour une femme, se comporter comme une chatte serait se comporter doublement sensuellement. Ce serait être cent fois femme, devenir la quintessence du beau sexe – *félinité* et *féminité* sont des mots proches. Et susciter l'effroi de l'homme. Les spécialistes de la mode et de la publicité ont compris combien Catwoman fait rêver, hissée sur ses chaussures à talons hauts, les ongles assez longs et joliment taillés pour évoquer le coup de griffe qui pourrait survenir après ou avant la caresse, sans compter le maquillage qui approfondit le regard… Cette féminité absolue fascine tout autant qu'elle joue avec la peur et le désir masculins.

La sexualité féminine a toujours été perçue par les hommes comme quelque chose de mystérieux, voire de terrifiant. L'histoire de nos sociétés regorge d'exemples de ce besoin qu'ont eu les hommes de contrôler une sexualité qui semble les dépasser. Le patriarcat, les religions dans leur ensemble ont œuvré pour tenter de dominer cette vie, cette libido féminine et placer la femme dans un rôle social inférieur. De quoi les rassurer. Sans doute le personnage de Brick dans *La Chatte sur un toit brûlant* est-il simplement terrifié par Maggy la chatte, plus qu'il n'est triste de la mort de son ami Skipper.

La psychologie considère le chat comme un animal typiquement féminin. Vivant la nuit, imprévisible… Or, traditionnellement, la femme plonge ses racines les plus profondes dans le côté obscur et indistinct de la vie (à elle la charge de la vie utérine que l'être humain n'a pas pu expliquer durant des siècles). « Le chat possédant donc une nature féminine, les jugements négatifs que de nombreuses cultures ont portés sur lui ne seraient alors rien d'autre que l'expression d'une agressivité déguisée envers la femme, et plus généralement, d'une misogynie psychologiquement très profonde », lit-on dans l'*Encyclopédie des symboles*. La haine des chats serait-elle l'expression de la misogynie universelle ? Rappelons-nous les femmes portées au bûcher au nom de leur pseudo-sorcellerie. Ces sorcières qu'on représentait chevauchant des balais (allusion sexuelle) et accompagnées de chats noirs. Car il semblerait que les chats ont toujours fait bon ménage avec les ténébreuses magiciennes. Dans les livres américains pour enfants des années 20, on voit une vieille femme souriante chevauchant avec un chat noir l'emblématique balai. Elle était l'une de ces femmes de Salem, Massachusetts, qu'on accusait de pacte avec le diable. Encore aujourd'hui les illustrateurs qui veulent représenter les sorcières les dessinent avec un chat noir. Ce chat accompagne ces femmes et leur ressemble. Il est leur double animal. La sorcière et son chat s'entendent comme larrons en foire. En Europe occidentale, la chasse aux sorcières a commencé au XIVe siècle, c'est le moment où le christianisme combat les pratiques traditionnelles issues des cultures germaniques (comme les magiciennes et les devineresses). « Tu ne laisseras pas vivre la sorcière », dit Moïse (Exode, XXII, 18). On accusait les sorcières d'être responsables de tous les maux : maladies, guerres, etc. Elles furent pourchassées avec leurs chats durant près de trois siècles. On a accusé les sorcières et les chats de propager la peste noire au milieu du XIVe siècle. Face à un mal qu'on ne peut expliquer, les boucs émissaires furent beaucoup de femmes, et beaucoup de chats. Unis dans un même rejet. Pour purifier la société, ils furent condamnés au bûcher. Un « détail » dans cette histoire sombre attire l'attention. Les condamnations étaient précédées de procès. Ce qui nous semble aller de soi en ce qui concerne les sorcières. Mais les faits historiques indiquent également que les chats furent jugés : il existait au Moyen Âge des tribunaux pour animaux. Imaginons les félins au tribunal, accusés de sorcellerie… On ignore s'ils bénéficiaient des sciences d'un avocat, mais une réflexion s'impose : cette présence légale n'est-elle pas la preuve que l'animal aux griffes rétractiles est une personne ? Une personne détestée certes, mais une personne tout de même.

Qu'avaient en commun les chats et les sorcières ? Une vie nocturne, indépendante, donc mystérieuse, une sexualité débridée ou supposée telle, un comportement associal : la femme marginale et puissante par son savoir – une connaissance qui n'était pas chrétienne –, l'animal qui n'obéit à personne et dort une grande partie de la journée pour s'éveiller au crépuscule, à l'heure où les créatures sataniques font leur entrée sur terre… En observant le chat, il n'est pas difficile de lui trouver des comportements diaboliques, crises de folie passagères dont on aurait du mal à déceler l'origine. Ces parenthèses furieuses, Colette les a décrites avec génie : « Pendant une minute, *[la chatte Saha]* s'oublia jusqu'à la frénésie, gratta comme un fox-terrier, se roula comme un lézard, sauta à quatre pattes comme un crapaud, couva une pelote de terre entre ses cuisses comme fait le rat des champs de l'œuf qu'il a volé, s'échappa du trou par une série de prodiges et se trouva assise sur le gazon, froide et pure en domptant son souffle. Alain, grave, n'avait pas bougé. Il savait tenir son sérieux, quand les démons de Saha l'entraînaient hors d'elle-même. » Et dire qu'en plus cette bête flexible a neuf vies. Comment se débarrasser de ce qui ne meurt pas vraiment ?

Le destin est souvent ironique. La peste noire fit vingt-cinq millions de morts en Europe au XIVe siècle. Le massacre des chats contribua à la prolifération des rats, vecteurs d'une maladie qu'ils transmettaient à l'homme par l'intermédiaire des puces infectées.

Si l'être humain a associé le chat à la féminité et le place *ipso facto* du côté de l'*alter*, du côté de l'autre, il n'est pas surprenant de découvrir les châtiments que l'histoire a réservés à ceux qui avaient un lien avec *catus*. En Europe, au Moyen Âge, posséder un chat noir est passible de peine de mort, mais dans l'Égypte antique, le chat était associé à la déesse Bastet, la déesse de la joie et de la fertilité. Le *miw* (le substantif qui le désigne) était un animal sacré : quiconque tuait un félin était mis à mort ; au décès du chat, ce dernier était momifié et placé dans un sarcophage. Dans sa passion pour l'animal flexible, l'homme va si loin que ses condamnations impliquent la peine capitale. En faveur ou en défaveur de celui-ci. Ce sentiment excessif n'est-il pas le signe que le chat incarne notre démesure et qu'il s'est créé une place de choix dans notre inconscient, représentant sa partie refoulée ?

Imaginons une histoire simple :

« Il l'avait remarquée un soir, ou plutôt une nuit, il se souvenait qu'à cette heure tous les chats sont gris et que dans cet endroit si fréquenté, ce bazar sympathique, une chatte n'aurait pas retrouvé ses petits. Il l'avait trouvée belle, lui avait parlé mais certaines de ses remarques assez cruelles l'avaient interpellé. On aurait dit qu'elle jouait avec lui comme un chat avec une souris. Ça lui rappelait une mésaventure récente : chat échaudé craint l'eau froide. Il ne s'en laissa pas conter et répliqua lui aussi quelque chose de vif, à bon chat, bon rat. Elle sembla s'en offusquer. Pas de quoi fouetter un chat ! s'exclama-t-il. Soudain, elle devint câline et caressante, lui fit chatterie sur chatterie, l'appelant "mon chat", "ma petite chatte". Il l'appela "ma cruelle", ce qui était appeler un chat un chat. Ils s'amusèrent, et pour le tester, elle l'interrogea sur des énigmes, ce à quoi il donna sa langue au chat. Il finit par s'énerver, ils s'entendaient comme chat et chien. »

Le langage qui lie les humains révèle l'inconscient collectif. Quand on étudie le nombre d'expressions dans lesquelles le chat s'est invité, on ne peut douter de l'impression faite sur notre esprit par cet animal. *Catus* s'est imposé dans notre psyché avec une force signifiante particulière. Cet interlude narratif ne prétend pas être exhaustif, il demeure un grand nombre de locutions prenant le chat comme référence. Mais déjà un constat s'impose ; beaucoup d'expressions où il est question du félin évoquent le jeu : *Donner sa langue au chat, Jouer avec sa victime comme un chat avec une souris ;* l'indétermination : *La nuit, tous les chats sont gris, Une chatte n'y retrouverait pas ses petits, Écrire comme un chat, C'est de la bouillie de chat ;* le danger ou l'attaque : *Il ne faut pas réveiller le chat qui dort, À bon chat, bon rat.* Et, évidemment, la sensualité : *Amoureuse comme une chatte, Faire des chatteries*, sans oublier, bien sûr, le terme familier pour parler du sexe de la femme, ce substantif féminin apprécié des esprits grivois. *Chatte* en français devient *pussy* en anglais et signifie la même chose, c'est-à-dire une chatte, l'animal, et, dans un registre plus familier, l'organe sexuel des femmes. L'analogie sexuelle se retrouve de l'autre côté du globe, dans la langue japonaise : « faire le cri du chat » (*nien-nien suru*) signifie « faire l'amour ». Si on observe avec une certaine distance la symbolique de l'ensemble, on peut voir apparaître l'entière pulsion humaine s'étirant d'Éros à Thanatos. L'amour et la mort.

Installé dans notre inconscient, *catus* devient un symbole. On le retrouve dans quelques œuvres chargées des affects des protagonistes, jouant un rôle déterminant dans l'évolution des couples. Quand il fait irruption dans la vie conjugale des personnages, les données sont bouleversées, un tiers a fait son apparition. Que ce tiers appartienne au règne animal est un a priori que le couple oublie. On connaît l'auteur des *Histoires extraordinaires* qui vont puiser dans le fantastique le mystère et l'angoisse qui révèlent la part sombre de la psyché humaine. Edgar Allan Poe publie la nouvelle « Le chat noir » en 1843. Alors que le narrateur a toujours aimé les bêtes, son caractère change radicalement à partir du jour où il se met à boire. Il commence à brutaliser ses animaux de compagnie : chien, lapins, oiseaux, poissons et singe. Demeure un tabou : le chat noir qui avait suscité chez lui tant d'affection. Mais, une nuit, tout bascule, il se prend de haine pour le félin et lui crève un œil. Le greffier très apprécié de son épouse devient une obsession maladive, la fixation de sa pulsion perverse. Il ne pense qu'à lui, le « grand ami de sa femme », ce félidé trop charismatique pour appartenir simplement au règne animal. Plus le personnage tyrannise le félin à la robe obscure, plus nous comprenons qu'à travers ce chat noir c'est un symbole, un objet signifiant enfoui dans l'inconscient, que l'homme maltraite. Le chat éveille une passion laide, crée chez le narrateur le vertige de l'inquiétante étrangeté dont Freud a développé le concept, une appréhension maladive pour l'*alter* qui peut tourner à la rage. Quand sa femme cherche à épargner la vie de l'animal, c'est elle qui tombe sous les coups de son mari. Elle a pris pour le chat. Le chat meurt aussi, d'ailleurs. La femme et le chat sont appréhendés avec la même haine par l'homme et finissent de la même façon : « ma femme, qui ne se plaignait jamais, hélas ! était mon souffre-douleur ordinaire ». L'un et l'autre constituaient la cible à abattre, le narrateur les a réunis dans un même destin. Ils se vengeront comme une seule âme… La perversité est le maître mot de cette nouvelle qui ne trouvera de dénouement possible que par le recours au fantastique. Si le narrateur exprime sa propre perversité avec une apparente clairvoyance, la description de ses angoisses, de son obsession sadique révèle un complexe sexuel douloureux. Une maladie mentale dont l'origine serait un trouble érotique. Raison pour laquelle il en voudrait au chat et à la femme, c'est-à-dire à la même personne.

On a vu le sujet du trio amoureux humains-chat avec ses débordements macabres abordé au cinéma. Souvenons-nous du film de Granier-Deferre adapté du roman de Georges Simenon : *Le Chat*, sorti sur les écrans en 1971. L'histoire de ce couple âgé interprété par le tandem Gabin-Signoret. Le temps a passé, vingt-cinq ans, c'est long, le couple n'a plus rien à se dire mais aucun des deux ne prend la décision de quitter l'autre. L'atmosphère de rancœur entretenue par la vie quotidienne semble d'autant plus compacte qu'on se trouve dans une banlieue parisienne impersonnelle, déprimante jusqu'à la sinistrose. Julien, ouvrier typographe à la retraite, et l'ancienne trapéziste, Clémence, ne se parlent plus. Elle a été victime d'un accident du travail : une chute du trapèze qui a stoppé net sa carrière. Seul le chat éveille chez le mari une tendresse qu'il n'a plus pour son épouse. Un simple chat de gouttière sans beauté particulière canalise maintenant son amour, et éveille par conséquent la haine de Clémence. L'affection du vieil homme pour le chat paraît outrancière dans ses manifestations, et sa femme en prend ombrage. La première fois que le personnage interprété par Gabin adresse la parole à Signoret, c'est pour lui demander où est passé le chat ; ces seuls mots rompent un silence épouvantable. Ils révèlent que l'animal a pris la place de l'épouse dans le cœur de l'homme. Une épouse qui, comme par hasard, a été trapéziste, c'est-à-dire qu'elle a su bondir, s'élancer dans l'air *comme un chat*, mais cette époque est révolue, depuis elle s'est réfugiée dans l'alcool. Sa jalousie l'entraîne à commettre l'irréparable : elle tue le chat. Ainsi qu'on peut le lire dans la catégorie *faits divers* des journaux, l'amant ou l'amante est assassiné(e) par la femme ou le mari jaloux, on supprime celui ou celle responsable du chaos, on cherche à recréer de l'ordre en effaçant la troisième « personne ». Outre que ce film est une merveille, une œuvre forte qui révèle l'intensité des sentiments tus, et que les acteurs sont deux légendes du septième art, l'histoire en elle-même est hautement symbolique. Bien que ce chat soit un mâle, dans sa symbolique et la perception des personnages ce « il » est un « elle », ce « elle » est la nouvelle amie de cœur d'un homme qui a naguère aimé une femme. Cet amour tacite était destiné à durer et protagonistes et spectateurs ont compris quelle était la nature de ce sentiment. Ce nouvel amour, lui, ne pouvait pas tomber du trapèze ou alors sa chute n'aurait pas été grave : comme le dit le proverbe, un chat retombe toujours sur ses pattes.

Le replet

« Il était d'une stature énorme
qui lui aurait mérité le titre de Roi des chats. »

NATSUME SÔSEKI, *Je suis un chat*

Cet intitulé qui semblera burlesque de prime abord est en réalité très important. En prenant du poids, le chat change de nature métaphysique : il passe du statut de danseur à celui d'un bouddha imposant et jaloux de son respect. Le gros chat n'est pas n'importe quel gros. Si le gros chien ou l'homme gras nous paraissent sympathiques et nous attendrissent, le chat enveloppé inspire la crainte révérencieuse. À cet égard, il évoque les potentats du passé qu'on respectait d'autant plus qu'ils étaient adipeux.

Cela tient à l'expression du chat en surpoids : loin d'attraper la bonhomie du faciès obèse, il acquiert l'air courroucé des grasses idoles asiatiques. Le personnage Garfield en est un excellent exemple. Garfield est un chat de bande dessinée créé en 1978 par l'Américain Jim Davis : il a le physique épais et le comportement d'un chat et d'un humain. Son aplomb, ses répliques ironiques, son charme blasé seraient sans conteste moins frappants, moins convaincants si l'animal n'avait pas cette surcharge pondérale qui a fait de lui le penseur désabusé que nous connaissons et aimons sans réserve. Paresseux, égoïste, orange, c'est un chat tigré qui a une passion pour la nourriture (surtout les lasagnes) et adore dormir. Peut-être cette vie lui a-t-elle donné la force très particulière des sumos, ce prestige qui nécessite un corps ample pour exister, un surcroît d'être. Ce chat dont l'emploi du temps se limite à peu de choses : manger, dormir, taquiner son entourage, c'est-à-dire son maître Jon et Odie, le chien de la maison, a parfois des manières de maître absolu, parfois des manières d'enfant, une caractéristique que l'écrivain américain Burroughs avait relevée chez les chats : « *Such human child reactions* », « des réactions si enfantines », écrit-il dans *The Cat Inside* en 1986. Un enfant qu'on ne restreindrait pas dans ses appétits serait un obèse, et un despote. Garfield se paie ce luxe, et nous l'admirons pour ça. Mais un despote peut vouloir devenir un penseur. Garfield illustre ce cas : combien de ses pensées sont devenues des phrases d'auteur ? « La paresse a un avantage : ça demande peu d'efforts », « Chaque fois que je crois avoir touché le fond, on me passe une pelle » ou « On n'échappe pas à sa vraie nature ».

Le charisme du chat serait-il proportionnel à son poids ? La question mérite d'être posée car il semblerait que les matous adipeux représentés dans les livres bénéficient d'une écoute singulière auprès du grand public. *Catus* gros (précisons : *crassus catus*) est plus populaire que *catus* maigre. Sans doute est-ce mérité. Est-ce dû au plaisir particulier que nous avons éprouvé à caresser des animaux ronds à la fourrure soyeuse, un plaisir amplifié par leurs formes généreuses et cette excessive douceur qui est l'apanage des matous volumineux ? Ne sont-ils pas également plus calmes, plus jouisseurs que les chats efflanqués ? On prête aux chats gras l'intelligence et la distance qu'on imagine chez les grands de ce monde. Observons-les : ne donnent-ils pas l'impression d'être à mille lieues des inquiétudes des autres chats ? Ne sont-ils pas calmement dominateurs, sûrs d'eux et comme éloignés des besoins terrestres à l'origine de la lutte pour la survie des autres chats ?

Le chat replet en impose car son poids ne le rend pas ridicule, ce qui n'est pas le cas des autres espèces. Sa graisse a la valeur symbolique que les muscles ont chez les surfeurs : un signe de force, l'évidence d'une puissance respectable, un gage de supériorité.

Quand les lecteurs du journal belge *Le Soir* ouvrent leur quotidien le 22 mars 1983, ils découvrent un gros chat gris, aux oreilles pointues, au nez rond, louchant, dessiné d'un trait sobre, noir, se tenant debout comme un homme, habillé comme un homme mais aux coutumes indiscutablement félines : il mange des souris, devient le père de multiples chatons, etc. Ce savant mélange de caractéristiques félines et d'anthropomorphisme prépare le lecteur à des jeux d'esprit, des saillies de haut vol, qui relèvent aussi bien de l'humour absurde que d'une philosophie décalée. Ce chat dont le corps remplit toute la case de la bande dessinée est l'œuvre de l'artiste belge Philippe Geluck. Le chat de Geluck est un genre de bouddha contemporain dont les lecteurs attendent la phrase foudroyante, sorte de transcendance pleine de sagesse paradoxale qui va contenter ses admirateurs pour la journée. C'est aussi une créature de taille impressionnante pour son inventeur : quand l'artiste se dessine avec son héros fétiche, c'est maigrichon qu'il se voit. Comparé à son chat, Philippe Geluck n'est qu'un enfant fluet. Celui qui se présente comme le père du chat ne serait-il pas en fait son fils ? Freud aurait peut-être analysé les images de cette façon. D'ailleurs, dans un de ses dessins, Geluck se représente comme l'assassin du chat : alors qu'un journaliste lui demande s'il n'en a « pas marre parfois du chat », il s'essuie les mains qu'il a recouvertes du sang de son héros charismatique ; on aperçoit le chat gisant sur le sol dans une autre pièce, et on songe à la formule freudienne « tuer le père ».

Un chat replet est souvent un spectacle réjouissant. Le gros chat est un bienheureux qu'on pourrait envier, il incarne l'animal-bouddha parvenant à un éveil partiel. « Éveil partiel » car bien que les besoins en sommeil de l'animal soient souvent assouvis, c'est le cas de Garfield, il est représenté encore somnolant, généralement peu vif. Et toujours plein d'autorité naturelle. Son apparition en sidère plus d'un. Cette figure de l'obèse que notre société occidentale a cessé de valoriser chez l'humain depuis l'époque moderne a trouvé ses lettres de noblesse dans son incarnation féline : l'embonpoint du chat n'est pas tabou. Dans *Le Fait du prince*, Amélie Nothomb suggère que le « gros chat » pourrait devenir une image de l'homme si tous ses plaisirs étaient comblés. Dans ce roman, l'écrivain belge raconte le destin d'un homme sans qualité particulière. Baptiste Bordave mène une vie banale et morose jusqu'au jour où un homme sonne chez lui pour téléphoner et meurt subitement. Ne sachant que faire, il décide de prendre l'identité du mort et devient Olaf Sildur. Il découvre alors une nouvelle vie de luxe en compagnie d'une étrange et belle jeune femme. C'est avec elle qu'il se délecte des meilleurs plats et des plus grands champagnes quand arrive un chat qualifié de *gros* et nommé fort à propos : Biscuit. Biscuit n'est pas un personnage anecdotique, c'est a priori un intrus dans la relation que le nouvel Olaf noue avec la jeune femme sans nom qu'il décide d'appeler Sigrid. Ce chat serait-il envoyé par le destin ? « La providence arriva sous l'apparence d'un chat. Un chat gros et lent qui avança avec une majesté boudeuse jusqu'à la maîtresse de maison. » L'animal vient perturber l'atmosphère idyllique qui régnait dans la grande demeure. Le lecteur découvre que le véritable maître des lieux n'est ni l'ancien Olaf Sildur ni le nouveau et encore moins la jeune Sigrid ; le chef, c'est Biscuit. Et comme toutes les divinités primitives, Biscuit a des exigences et Biscuit a faim. Les deux choses sont liées : les desiderata du félin sont dépendants de son ventre. De l'animal, on apprend qu'il a « l'air impérieux, offusqué de devoir rappeler son devoir à la domestique ». On découvre aussi son histoire personnelle : autrefois chaton « maigre et effaré », l'animal a été recueilli, soigné par Sigrid, il est devenu gras et sûr de lui. La bête à plaindre de naguère est devenue un seigneur autocrate. Ou pour le dire autrement, la victime de la dureté de l'existence s'est transformée en demi-dieu omnipotent. Ce passage d'un état à un autre si diamétralement éloigné rappelle évidemment la *flexibilité* dont les chats sont capables. Le narrateur comprend qu'il est rejeté par Biscuit. L'attitude hautaine, le regard de l'animal lui donnent à penser que cette existence de despote incontesté a développé un profond sentiment de xénophobie. Ce chat n'aime pas les intrus, ce chat n'aime pas les étrangers, ce chat n'a aucune raison de cacher son hostilité. L'attitude la plus commune chez les êtres dominateurs qu'on dérange est le dédain. Anthropomorphisme ou pas, il est précisé dans ce roman que le gros chat nommé Biscuit « contemplait *[le narrateur]* avec mépris ». Mais cet animal dont le ventre semble être le moteur finit par devenir une projection possible de l'homme comblé. Si la vie était paradisiaque, l'homme passerait son temps à paresser, à manger et boire – l'emploi du temps du chat – et finirait donc par ressembler à un félin obèse. Olaf comprend que tel sera son destin s'il reste dans cette grande maison. Ce programme le tente d'ailleurs : vivre tranquille, en bonne compagnie, grossir au calme, quel bonheur. La représentation de Biscuit est l'avenir d'Olaf, la tentation extrême serait de devenir comme lui, de devenir lui tout simplement, un gros chat installé dans sa demeure. Cette réflexion peut émouvoir un lecteur tenté par une telle béatitude. N'était le danger représenté par une bande de tueurs prêts à agir contre les habitants de la maison, la vie d'Olaf et Sigrid serait tracée. Une vie immobile, une vie de bouddha, une existence hautement désirable et *grossissante*.

Le Fait du prince est un hymne à l'apathie, cette apathie dont le gros chat est le symbole, mais il met aussi en garde contre ses dérives.

La force est du côté du gros chat, le narrateur félin dans *Le Chat Murr* de E.T.A. Hoffmann le comprend bien le jour où il croise la route d'un de ses semblables de forte constitution : « Il y avait là un gros chat dont l'aspect ne laissait pas d'intimider et qui souvent déjà avait manifesté son mécontentement face à ma conduite ; cette fois comme je voulais, grossièrement il est vrai, subtiliser de sous son nez un bon morceau qu'il se disposait à dévorer, il m'administra sans plus de façons une telle série de gifles sur les joues que j'en fus tout étourdi et que mes oreilles se mirent à saigner. » On ne discute pas certaines autorités, en particulier celle des félins adipeux... Comment ne pas penser à un personnage qui a dû hanter l'imaginaire des enfants : le chat sadique dans le film de Walt Disney *Cendrillon* ? Rappelons-nous : la marâtre de Cendrillon exige de la jeune fille qu'elle termine toutes les tâches ménagères et qu'elle attende que le (gros) chat ait fini de boire son écuelle de lait pour aller au bal. Cendrillon donne l'écuelle au matou narquois, et s'acquitte d'une somme de travail qu'aucune femme de ménage n'accepterait de faire sans être grassement payée. La dernière condition : que le chat ait fini de boire son lait. Mais voilà, l'épais félin est un joueur sadique qui trempe une griffe dans son assiette et ne boit que ce qu'il en tombe dans sa gueule : il finit son breuvage au goutte-à-goutte, appuyé sur le coude comme un Romain à une orgie, ne quittant pas la jeune fille de son regard méchant. Quand cette condition-là est remplie, il est trop tard pour que Cendrillon aille au bal. Le gros chat serait-il un jouisseur pervers ? Walt Disney le suggère sans aucun doute.

82

Traditionnellement, le chat enveloppé est perçu comme un mandarin. En Orient et en Occident, le chat replet représente l'homme de pouvoir. Rappelons-nous « sa majesté fourrée » dans *Le Chat, la Belette et le Petit Lapin* de La Fontaine. L'a priori est identique en Asie. Même si la personnalité d'un chat se révèle parfois plus compliquée, se retrouver devant un gros chat, c'est faire face à un roi. Le chat philosophe de Natsume Sôseki, le narrateur de *Je suis un chat*, ne peut s'empêcher d'observer et admirer l'animal obèse qu'il croise sur son chemin : « debout devant lui je m'abîmais dans l'admiration et la curiosité ». Son physique indique qu'il est bien nourri, qu'il appartient donc à une maison bourgeoise. L'ironie de l'histoire, dans ce cas précis, c'est que ledit chat a un langage très peu châtié. Il parle vulgairement et ce laisser-aller perturbe le narrateur. Sa langue n'est pas celle des puissants, des gens éduqués habitués au pouvoir. On ne s'attendait pas à ça. D'une certaine façon, ce pseudo-Roi des chats est un imposteur, un être encore plus vil que le bourgeois gentilhomme. C'est un pauvre hère, un chat de peu qui aura pris l'apparence de ce qu'il n'est pas : un grand de ce monde. Et comble des combles : il est bête, stupide comme on a rarement vu. Si Sôseki voulait être insolent envers les hommes de pouvoir de son pays, il y est parvenu subtilement, sans se tourner vers les individus en personne mais en louvoyant, comme le fait un félin, en usant d'artifices, utilisant le déguisement du chat. Les Vénitiens ont eux aussi élaboré un masque de chat assez célèbre pour leur carnaval. Un de ces beaux masques troublants, rouge ou noir, le masque de la créature qui est elle-même difficile à saisir : un greffier ne s'attrape pas, il accepte d'être attrapé. L'esprit libre qui veut moquer les puissants du monde a recours à ce travestissement félin. Derrière un gros chat se cache un homme important, et qui se cache derrière le narrateur de *Je suis un chat* ? L'insolent Sôseki, évidemment.

Le comble du pouvoir est de régner sur le royaume des morts et de hanter le monde des vivants. Imaginez un gros chat noir capable de s'habiller comme un homme et de jouer aux échecs, une créature féline sortie du territoire rival du royaume de Dieu. Un chat inquiétant dont la taille et le poids subjugueraient et dont les manières humaines iraient de pair avec une tendance à la perversité. Vous voyez Béhémoth, une créature alliée du diable dans *Le Maître et Marguerite* de Boulgakov. Un chef-d'œuvre de la littérature russe écrit entre 1928 et 1940 et publié après la mort de l'auteur qui n'avait eu de cesse de réécrire son texte (il y en eut quatre versions). Ce livre a exténué Boulgakov. Mais quelle superbe vision de la lutte entre le bien et le mal transposée dans la société stalinienne ! Ce roman est une plongée dans le fantastique, tout y est excès, les événements s'enchaînent, toujours inouïs, dans une atmosphère de terreur lumineuse qui est l'œuvre des auteurs mystiques. L'action se situe à des époques diverses, dans des régions du monde éloignées les unes des autres et a priori étrangères entre elles : de la Jérusalem de l'époque du Christ à Moscou durant la dictature communiste, au cœur de cette Russie athée où toute imagination est muselée. C'est justement dans ce pays qui renie Dieu et bafoue la liberté de ses habitants que des créatures fantastiques font leur apparition. Précisément, un magicien nommé Woland (Satan dans un costume d'enchanteur), et une troupe de délinquants dont Béhémoth, l'énorme chat, fait partie. On pourrait penser à la bande de hooligans qui terrorise la population londonienne dans *Orange mécanique*. Woland, Béhémoth, le tueur Azazello et la sorcière Hella s'en prennent en particulier à la vie littéraire et aux bureaucrates du régime. Béhémoth, mi-homme mi-chat, est une créature imposante et violente. Il a toutes les aptitudes de l'humain, il comprend le langage des hommes, marche sur ses pattes arrière, etc., en revanche il miaule, et son apparence est sans conteste celle d'un chat. Boulgakov le décrit ainsi : « La compagnie s'était accrue d'un troisième personnage, surgi d'on ne sait où : un chat énorme, aussi gros qu'un pourceau, noir comme un corbeau ou comme la suie, avec de terribles moustaches de capitaine de cavalerie. » Est-ce un dédoublement du diable ? Une incarnation de sa majesté des mouches qui ferait allusion aux grandes peurs du Moyen Âge dont les sorcières et leurs chats noirs étaient à l'origine ? Étrange est la nature de ce chat venu sur terre pour semer la zizanie et dont le poids semble affirmer le pouvoir tel un symbole de son règne maléfique. Gros et néanmoins souple. Agir comme un délinquant des rues demande une certaine agilité, et de la force : « Ivan reporta toute son attention sur le chat. Il vit cet étrange animal sauter sur le marchepied de la motrice d'un tramway "A" à l'arrêt, prendre brutalement la place d'une femme à qui ce sans-gêne fit pousser les hauts cris, se cramponner à la rampe et même essayer de glisser à la receveuse, par la fenêtre laissée ouverte à cause de la chaleur, une pièce de dix kopecks. » Comme le diable incarné par le magicien Woland, Béhémoth s'amuse, il s'amuse avec la peur, l'illusion (la magie) et la violence.

Et c'est sans doute ce qui relie tous ces chats enveloppés, qu'ils soient des héros positifs ou négatifs : le goût du jeu, l'excitation jubilatoire qu'il y a à vivre sans devoir s'inquiéter du manque de nourriture, en exerçant un pouvoir sur les autres en toute tranquillité. Leur poids est une démonstration d'absolu. À l'image de l'aura que les Japonais réservent à leurs sumos, cette adulation honore toujours le chat gros quels que soient les civilisations et les pays. L'embonpoint, naguère symbole régalien, mal vu aujourd'hui dans nos sociétés occidentales développées qui ne tolèrent que la minceur, demeure le signe d'une prédominance de la jouissance chez le chat. En quelques siècles, cet attribut du pouvoir est passé de l'humain au félin. Nous leur avons donné la couronne qui convenait à nos rois.

Le dieu

« Si l'on pouvait croiser l'homme et le chat,
ça améliorerait l'homme mais ça dégraderait le chat. »

MARK TWAIN

Nous qui avons laissé le chat dans l'enfer russe de la société stalinienne décrite par Boulgakov, nous le retrouvons paré des aptitudes des démiurges. Aussi à l'aise dans les deux royaumes invisibles : celui du diable et celui du Créateur, bondissant de l'un à l'autre. Quelles sont les caractéristiques de la divinité ? L'ubiquité, l'omniscience, l'omnipotence, l'invisibilité, l'essence éternelle et l'amour. On retrouve peu ou prou ces qualités dans toutes les religions. Le chat, qui se déplace sans bruit, sait disparaître avec talent, se multiplier sur tous les continents, possède une nature divine.

Inévitablement, s'impose à nous le culte de Bastet dans l'Égypte antique : déesse de la musique, de la joie du foyer, des chats et de la maternité représentée intégralement sous la forme du félin ou, de cette façon composite qu'affectionnaient les Égyptiens, avec un corps de femme et une tête de chatte. Si on peut juger de l'importance d'une divinité en fonction des rites qui lui sont prodigués, on ne peut douter que Bastet a provoqué une ferveur particulière chez les croyants. Dans certaines régions, les archéologues ont retrouvé d'innombrables ex-voto dédiés à la déesse, et nombre de momies de chats furent découvertes lors de fouilles dans des nécropoles d'animaux. Avant de s'étendre à tout le pays, Bastet est la divinité locale de la ville de Bubastis, l'actuelle Tell Basta dans le delta du Nil. L'historien grec Hérodote a décrit les grandes fêtes que les Égyptiens organisaient en son nom. Aux alentours de 850 à 30 avant J.-C., la fête de la déesse était l'une des plus célèbres du calendrier égyptien ; la cité de Bubastis était littéralement envahie par 700 000 personnes représentant toutes les couches de la société venues adorer l'effigie en granite de la déesse dans son temple. On se livrait à la danse, aux chants, on s'enivrait.

Hérodote : « Ils arrivent en bateau, hommes et femmes ensemble, en grand nombre sur chaque embarcation ; en chemin, des femmes font de la musique avec des claquettes, et certains hommes jouent de la flûte, tandis que les autres chantent et frappent dans leurs mains. Lorsqu'ils rencontrent une cité le long du fleuve, ils tirent l'embarcation à terre, et certaines femmes continuent leur jeu, comme je l'ai dit plus haut, tandis que d'autres lancent des insultes aux femmes du lieu et entament des danses en agitant leurs robes en tous sens. À leur arrivée, ils célèbrent la fête par des sacrifices et l'on consomme à cette occasion plus de vin que durant le reste de l'année. » Et puis « Les chats trépassés sont apportés à Bubastis où ils sont embaumés et enterrés dans des urnes sacrées. »

La déesse Bastet est à double visage. Idole de la fécondité, souvent représentée pourvue de multiples mamelles – pensons aux fameux « reins féconds » des chats dont parle Baudelaire –, une partie d'elle est bienveillante et protectrice, l'autre féroce et dangereuse. À l'origine, fille du roi soleil, Rê, elle devient une lionne sanguinaire sous l'effet de la colère et massacre les hommes impies. Son père l'aurait rappelée auprès de lui après ces carnages pour la transformer en une version plus « douce » : en chatte... Elle reste une combattante dans l'imagination égyptienne. Embarquée sur le bateau de Rê qui transporte quotidiennement les défunts vers l'au-delà, c'est à elle que revient la charge de couper la tête de l'odieux serpent Apophis qui attaque la barque de Rê et renaît chaque jour. Une combattante qui donne plus tard naissance à la figure d'Artémis chez les Grecs, l'intrépide sauvageonne au carquois, Diane pour les Romains.

On trouve des traces d'une possible essence divine du chat dans la mythologie gréco-latine. Comme certains l'ont remarqué, il arrive que des chat(te)s dévorent leurs petits, c'est un phénomène présent dans la nature mais qui n'a pas eu d'impact sur la descendance féline dans son ensemble. Un mythe grec rapporte un phénomène similaire chez les divinités. Après avoir été informé qu'il serait détrôné par un de ses enfants, le Titan Cronos décide de dévorer ses rejetons. Mais sa femme Rhéa parvient à substituer une pierre enveloppée de langes au sixième enfant, Zeus. Parvenu à l'âge adulte, Zeus contraint Cronos à restituer ses enfants, commence alors une lutte pour le pouvoir, la Titanomachie, au terme de laquelle Zeus l'emporte sur son père et devient le maître de l'Univers. E.T.A Hoffmann, auteur romantique, fait allusion à ce destin commun dans son roman *Le Chat Murr* :

« Excellente mère *[ainsi s'exprime le narrateur chat],* ne condamnez pas trop ce penchant. Le peuple le plus civilisé de la terre attribuait à la race des dieux cet étrange appétit de dévorer ses propres enfants ; mais un Jupiter en réchappa tout comme moi ! »

S'il a été mis sur tel piédestal, peut-on affirmer que le chat possède les caractéristiques de la divinité ? Les mythologies égyptienne et gréco-latine ne démentent pas l'interprétation comme on vient de le voir, mais observons maintenant les signes du divin dans le monothéisme.

Comme chacun sait, Dieu est invisible. La manifestation de Dieu est dans le Verbe, pas dans l'image. Certes il est plutôt avare de mots, mais il a su prendre la parole à des moments cruciaux. Dans l'Ancien Testament, Il adresse ses commandements à Moïse. Dans le Nouveau, Il sort de sa réserve pour s'entretenir avec son messie Jésus, et même si nous ne savons pas ce qu'Il dit, Il parle aussi aux hommes dans un claquement de tonnerre lors de la crucifixion de Son Fils. Dans le Coran, la parole d'Allah est révélée à Mohammed par l'intermédiaire de l'ange Gabriel. Personne n'a vu Dieu. S'Il parle, Dieu reste invisible aux vivants. Personne non plus n'a vu de chat dans la Bible qui recèle pourtant nombre d'animaux et ceci alors même que le Livre est issu d'une région du monde d'où le félidé est originaire. L'Ancien Testament regorgeant de bêtes en tout genre ne citerait jamais le chat ? L'*oubli* est pour le moins étrange. Cet *oubli* serait-il le fruit du hasard ou faut-il trouver une autre explication ? En tout cas, force est de constater que cette absence *visuelle* dans le paysage est une particularité que le félin partage avec l'Être suprême.

Lewis Carroll a révélé dans *Alice au pays des merveilles* (1865) la nature invisible du *Cheshire cat*, le chat du comté de Chester. C'est cet étrange matou souriant qui interroge la jeune fille, l'interpelle avec des questions manifestement absurdes mais passionnantes linguistiquement. Alice, déjà décontenancée par ses paroles sibyllines, n'est pas au bout de ses surprises. Il est là devant elle quand soudain il disparaît comme un spectre. Alice voit le chat qui lui parle, il n'y a pas à douter de son existence, mais sitôt que l'animal le décide, il s'efface de la vue, réapparaît quand il lui sied et, facétieux, s'évapore en laissant planer dans l'air son fameux sourire. Ce qui fait dire à la jeune fille : « Ma parole ! j'ai souvent vu un chat sans un sourire, mais jamais un sourire sans un chat !... C'est la chose la plus curieuse que j'ai vue de ma vie ! » Le chat du comté de Chester fait une nouvelle apparition lors de la fameuse partie de croquet où des personnages en forme de cartes sont entrés en scène comme la monomaniaque Reine de cœur qui, à la moindre contrariété, décide de couper la tête de son interlocuteur. Le chat, tout au moins sa tête, apparaît dans le ciel comme un Saint-Esprit. Il parle à Alice, il sourit. Alice est son interlocutrice privilégiée, comme Moïse, Jésus ou Mohammed étaient les élus de la parole divine. Il disparaît en s'évanouissant et sidère l'assemblée, le Roi et la Reine compris, qui avaient donné l'ordre qu'on coupe la tête de cette créature, au grand désespoir du bourreau, lequel ne savait comment trancher la tête de ce qui n'a pas de corps...

Loin de nous l'intention de proclamer que tous les chats sont invisibles. Le chat *est* un chat, car nous le voyons. Mais remarquons comme sa présence est discrète, comme on ne l'entend pas se déplacer, comme on peut *oublier* qu'il existe, de la même façon qu'on peut *oublier* que Dieu existe puisqu'il est invisible. *Catus* se déplace en silence grâce aux coussinets sous ses pattes qui le rendent aérien. Sa présence aussi légère qu'un souffle est un trouble pour nos perceptions. L'écrivain japonais Sôseki l'a décrit avec un talent particulier :

« Les pattes du chat font oublier son existence ; on n'a jamais entendu dire qu'elles aient fait du bruit par maladresse, où qu'elles aillent. Les chats se déplacent aussi silencieusement que s'ils foulaient l'air ou qu'ils marchaient sur les nuages. Leur pas est doux comme le bruit d'un gong en pierre qu'on frappe dans l'eau, doux comme le son d'une harpe chinoise au fond de quelque caverne. » Il arrive qu'un chat nous observe, nous suive sans que nous nous en rendions compte, il possède cette capacité « magique » à disparaître à nos perceptions. Une magie qui semble innée à son corps. Sôseki, par la bouche de son chat : « On dit que les crapauds portent sur le front un joyau qui brille la nuit ; or moi je porte dans ma queue une magie héréditaire qui peut ensorceler non seulement les dieux, les bouddhas, l'amour et la mort, mais aussi la race humaine tout entière. »

Aussi silencieux qu'un spectre, le chat peut se trouver partout sans qu'on devine sa présence. Présent physiquement sur tous les continents, il a conquis la planète tout autant que l'homme. Il est entré plus qu'aucun animal dans la littérature, dans la musique, le *Duo de chats* de Rossini en est une brillante illustration ; il est représenté par des peintres aussi prestigieux que Picasso, il hante le langage comme on l'a vu. Se multipliant de toutes les façons possibles, il possède une caractéristique divine : le don d'ubiquité. Ce don va de pair avec une puissance hors du commun. Une capacité forcément théologique à changer le cours du temps. À décider de l'avenir. La preuve ? Là encore il faut se tourner du côté de la littérature, et du langage. Songeons au proverbe qui dit qu'il va pleuvoir quand un chat passe sa patte derrière son oreille. Et demandons-nous si cette expression populaire est le fruit du hasard ou l'intuition que *catus* est connecté aux puissances du destin. Le romancier Marcel Aymé en fait état dans ses fameux *Contes du chat perché* (1934). Une série d'histoires irrésistibles mettant en scène deux fillettes de paysans : Delphine, Marinette et les animaux de la ferme. Destinés aux « jeunes de 4 à 75 ans », ces contes, « histoires simples, sans amour et sans argent », mêlent la peinture réaliste du milieu paysan de la France du début du vingtième siècle et un merveilleux qui naît des situations les plus quotidiennes. Humains et animaux partagent le même langage, s'apostrophent, échangent des points de vue et mènent une vie « commune », une vie de ferme. Le chat Alphonse fait partie de la ménagerie, pas à titre gratuit bien sûr puisque nous sommes chez des paysans, le chat est « employé » à chasser les souris, et il est régulièrement traité de fainéant. C'est aussi un bon ami des fillettes qui prend leur parti le jour où elles sont gourmandées pour avoir cassé un plat en faïence « qui était dans la maison depuis cent ans et auquel les parents tenaient beaucoup ». Pour les punir, les parents les obligent à aller rendre visite à leur tante Mélina, « une très vieille et très méchante femme, qui avait une bouche sans dents et un menton plein de barbe », dès le lendemain, s'il ne pleut pas. Solidaire des enfants, le chat Alphonse passe la patte derrière son oreille à plusieurs reprises, provoquant *ipso facto* averse sur averse. Traité une nouvelle fois de paresseux, roué de coups par le couple de fermiers, Alphonse, qui se serait lassé de sa générosité envers les petites filles, décide de se venger des parents en suscitant de nouvelles pluies, dont l'effet ruine les récoltes : « Vous m'avez battu sans raison, mais, parole de chat, vous vous en repentirez. » Comme le Dieu de l'Ancien Testament, il est rancunier, et capable de provoquer des fléaux qui illustrent son omnipotence – l'histoire des récoltes ravagées n'est pas un hasard. Même s'il ne doit sa survie qu'à une coalition des animaux et des petites filles qui le sauve d'une noyade programmée par le couple de fermiers, le chat Alphonse est la créature la plus surnaturelle, la plus proche du divin dans l'arche paysanne que représente la ferme. À lui la maîtrise du temps, dans son sens climatique et temporel. L'histoire se termine bien : la tante Mélina a la bonne idée de « raser sa barbe », part habiter chez son époux à « mille kilomètres de chez les petites » et le chat sauve la récolte de l'été en provoquant une pluie salvatrice en pleine sécheresse.

Il est une expérience intense que connaissent les amoureux des chats : l'échange de regards. Les yeux des chats sont fascinants : leur forme d'amande, leur ressemblance avec les gemmes de couleurs variées, la pupille mouvante, dilatée puis réduite, l'acuité séductrice de leur regard. On aurait du mal à estimer l'intelligence d'un chat, d'aucuns la remettent parfois en question – les capacités de mémorisation du chat seraient inférieures à celles du chien et du cheval[1] –, mais personne n'ose dire que le chat est un animal idiot. On pourrait s'interroger sur la raison d'un tel a priori. Il semble que la force de leur regard soit à l'origine de cet acquis en prééminence. Le chat vous observe et vous vous dites qu'il *sait*. Il n'ignore rien de vous, il vous *comprend*, il vous perce à jour, il vous observe plus fort que toute autre créature humaine ou animale. Comment ne pas penser à cet œil de Dieu logé dans un triangle, le fameux « œil qui voit tout » présent dans la culture maçonnique ? Étrange communication que cette télépathie qui nous donne à imaginer un potentiel omniscient chez le chat. L'omniscience, cette caractéristique divine supplémentaire dont on ne peut pas nier qu'elle est aussi celle du chat, est-elle analysable autrement que par la simple perception ? Il semblerait que non. Nous voilà bien obligés de *croire* en ce que nous voyons. Et le chat que nous observons et qui nous

---

1. Nicoletta Magno, psychologue spécialisée dans l'éthologie, éleveuse de chartreux et auteur d'ouvrages de référence sur le chat. Cf. <http://wamiz.com/chats/ guide/intelligence-du-chat-0520.html>.

observe nous incite à croire, en effet, qu'il détient de la façon la plus naturelle, la plus instinctive qui soit, cette science de toute chose : « omniscience ». Nous l'admettons, faute d'en avoir la preuve.

Mais, avant tout, rappelons-nous qu'un « amoureux des chats », comme nous l'avons énoncé plus haut, est d'abord un amoureux. Force est de constater que, dans le règne animal, certaines espèces suscitent plus d'empathie, d'affection que d'autres. Le chat est parvenu à se faire aimer plus que n'importe quelle autre espèce, excepté peut-être le chien, mais l'avenir pourrait favoriser le chat dans la prédilection humaine. L'évolution a déjà eu lieu. À son arrivée en Occident, le chat était « utilisé » dans la chasse aux rongeurs. Le temps a passé et nous n'exigeons plus cet emploi de *catus*. Il est maintenant considéré comme un animal de compagnie, c'est-à-dire, selon la terminologie de Jacques Lacan, « un animal en mal d'homme », soit un être privilégié : entretenu par l'homme qui n'attend pas ou plus de lui un retour sur placement. Nous le gardons près de nous pour le bonheur qu'il nous donne. Pour l'amour. Le chat est amour. Qui en douterait ? Certainement pas Burroughs, l'auteur du livre *Entre chats*, intitulé en américain *The Cat Inside*. L'auteur du *Festin nu* a écrit un véritable chant d'amour dédié aux félins qui sont entrés dans sa vie et l'ont littéralement conquis. Tour à tour comparés à des enfants ou à des animaux plus « évolués » comme les singes, les chats de Burroughs s'offrent avec douceur et séduction. Ils sont irrésistibles, ils sont amour. À tel point que l'écrivain les voit comme « moitié chat, moitié humain ». Le corps du chat qui vient chercher la caresse, s'arrondit sous la main, ronronne, marque son élan d'affection avec tout son être, se donne entièrement. Burroughs n'est pas dupe, bien sûr, il sait que l'animal, dans son désir de se faire adopter pour avoir une vie confortable, est capable des plus grandes effusions. Il connaît leurs manières, l'« intérêt » qu'il y a à se comporter avec amour. Mais cet aspect du chat ne déplaît pas à l'Américain. Il aime que le chat n'offre rien d'autre que lui-même, qu'il ne rende pas d'autres services à l'homme.

C'est avec une logique de divinité que le chat attend, accepte la nourriture. Il y a droit, l'exige car il est celui qui, en échange, donne de l'amour. L'auteur n'est pas dupe qui a bien remarqué combien l'animal, quand il n'a plus d'inquiétude sur sa place dans le foyer, « devient moins démonstratif, ce qui est normal ». Il raconte précisément les effusions de tendresse de son chat Ruski : « Je me souviens que j'étais assis dans un fauteuil près de l'âtre face à la porte d'entrée ouverte et qu'il m'a vu et a parcouru vingt mètres en courant, émettant des petits cris particuliers que je n'ai entendus chez aucun autre chat, flairant, ronronnant, appuyant ses pattes sur mon visage pour me dire qu'il voulait être mon chat. » Comme dans toutes les grandes histoires d'amour, ce qui est en jeu n'est pas qu'une *liaison* mais une découverte de soi. Un critique littéraire a condensé en quelques mots la beauté de cette confession amoureuse aux chats : « Le contact de Burroughs avec les chats le confronte à lui-même » (*Harper's Bazaar*). L'amour est reconnaissance de soi en l'autre. Sans pousser trop loin la psychanalyse sauvage, peut-on voir dans cette affection réciproque un transfert de l'amour qu'il portait à sa femme Joan Vollmer Adams et dont la mort pesait sur sa conscience ? En 1951, il lui tire dessus par accident. Voulant imiter Guillaume Tell, Burroughs lui avait posé un verre en guise de pomme sur la tête, la balle n'a pas atteint la cible… Certains pensent, consciemment ou non, que l'amour des bêtes remplace avantageusement celui des humains ; plus simple, l'amour des animaux vous extrait de la vie sociale, plus qu'aucun autre amour, il ressemble à de l'amour désintéressé. Est-ce que les chats ont été un point d'attache dans la vie dissolue, éclatée et artistiquement « expérimentale » de Burroughs ? Possible. En tout cas, l'auteur du *Festin nu* comprend la foi des Égyptiens pour la divinité chat. Si la foi est une sorte d'amour, il l'a éprouvée.

Priver un amoureux des chats de son animal favori le rend malheureux. Ceux qui ont perdu un animal comprennent la douleur lancinante qui suit la disparition de leur compagnon. La mort d'un chat cause une tristesse profonde que nous préférons cacher au monde, taire de peur d'être critiqué. Celui qui était placé dans la catégorie

d'« animal en mal d'homme » a changé de catégorie car l'amour qu'il nous a donné et qui était
réciproque a inversé les rôles : n'est-ce pas l'amoureux des chats (nous, êtres humains) qui serait un
« homme en mal de chat » ? Dieu est mort, a dit
Nietzsche pour exprimer la solitude humaine. « Le
petit chat est mort », dit Agnès dans *L'École des
femmes* de Molière quand elle vient de tomber
amoureuse pour la première fois et que ce sentiment est une révélation divine.

Un écrivain aussi perspicace que Rainer Maria
Rilke pose la question du chat comme d'aucuns se
sont posé la question de Dieu. Il faut aller regarder du côté de l'émouvante collaboration entre le
peintre Balthus et l'auteur des *Élégies de Duino*.
Rilke écrit la préface à un recueil de dessins de
Balthus intitulé *Mitsou, histoire d'un chat*, du nom
d'un chat qu'il avait trouvé puis perdu quand il
avait dix ans. Le recueil de dessins entièrement
exécutés à l'encre de Chine paraît à Zurich en 1921,
Balthus a douze ans... Les premières phrases de la
préface de Rilke sont déjà métaphysiques : « Qui
connaît les chats ? – Se peut-il, par exemple, que
vous prétendiez les connaître ? J'avoue que pour
moi, leur existence ne fut jamais qu'une hypothèse
passablement risquée. » Il est déjà très tentant de
remplacer le mot « chats » par Dieu. Mais conti-
nuons. Rilke tente une analyse des comportements
du petit félin. Animal difficile à comprendre, à saisir
dans les deux sens du terme, il semble accepter les

caresses puis fuit sans crier gare, etc. Ces analyses à la fois justes et « courantes » sont ponctuées de véritables questions philosophiques, parlant du chat : « L'homme fut-il jamais leur contemporain ? » Il faut être un écrivain de cette excellence pour penser au décalage temporel. Et de pointer l'attitude féline qui consiste à snober les hommes – quand il décrit le chat du voisin qui « saute à travers mon corps *(sic),* en m'ignorant, ou pour prouver aux choses ahuries que je n'existe point ». Pour parler d'un recueil qui aurait pu s'intituler *La Disparition* si Georges Perec ne lui avait volé l'idée par anticipation, Rilke s'interroge sur l'être et le non-être chat. Que la perte d'un animal aussi attachant, séduisant et drôle affecte tant l'enfant Balthus révolte, soulève le cœur. Les derniers dessins du Suisse le montrent seul et éploré dans la rue recouverte de neige, partant à la recherche de son chat en pleine nuit. Son chagrin est absolu, sa solitude dessinée noir sur blanc. Et c'est là que l'écrivain autrichien résume le mieux sa découverte. On voit davantage ce qui n'est pas/plus visible : « Vous l'avez bien senti d'ailleurs, Baltusz *[orthographe de Rilke]* ; ne voyant plus Mitsou, vous vous êtes mis à le voir davantage. » Ce qui n'arrive qu'aux mystiques en mal de Dieu. La conclusion de Rilke est d'une logique phénoménologique : « Tranquillisez-vous : je suis. Baltusz existe. Notre monde est bien solide. Il n'y a pas de chats. » De la même façon que les athées affirment l'inexistence de l'Être suprême, et logiquement l'existence de leur propre être, Rilke imite le procédé, déclare la réalité de l'existence humaine et rejette ce qu'il voit comme une divinité (la seule) : le chat. Voilà comment on remet en question l'existence de Dieu ou des chats ou des deux par analogie. Nous avons ainsi la preuve que le chat est Dieu.

CONCLUSION

Comment saisir le chat ? Comment embrasser ce qui a tant de significations ? Et ce qui nous échappe toujours. Le paradoxe du chat est qu'il nous amène à observer l'homme. Sa forme diffère de nous mais c'est nous que nous voyons quand nous le contemplons, un *nous* fantasmé. Le chat – grand transgresseur par excellence : de genre (masculin et féminin), de statut (animal, humain, divin) – nous paraît familier et inquiétant. L'ambiguïté constituant sa nature, il provoque ce trouble particulier que toute amphibologie suscite. L'étymologie latine du mot « ambiguïté » convient d'ailleurs très bien au chat : *ambigere* signifie « tourner autour » et illustre parfaitement l'attitude du chat qui s'approche de l'homme avec circonspection, offre ses caresses en tournant autour de ses jambes s'il estime qu'il peut faire confiance. Comme il est loin et proche, ce félin qui est entré dans nos vies. Comme il est difficile à appréhender et ceci, quel que soit le sens qu'on donne à ce mot : attraper et comprendre. Peut-être est-il impossible de connaître les chats, comme le pensait Rilke. Et si cet animal était avant tout un point d'interrogation se promenant sur des coussinets ? Parodiant Gertrude Stein, il semblerait que tout ce qu'on peut dire du chat, c'est qu'un chat est un chat est un chat. Et c'est déjà beaucoup.

Merci à Virginie François sans qui
ce livre n'existerait pas.

BIBLIOGRAPHIE

Cet éloge ne peut rendre hommage à tous les artistes et écrivains qui ont célébré le chat dans leurs œuvres. Il serait en effet fou, voire impossible, d'énumérer tous ceux dont le chat a été la muse. Pardon donc à Loti, à Albert Cohen et aux *Aristochats*, ainsi qu'à tous les autres qui connaissaient mieux que moi ce sujet et n'ont pas été cités. Et merci aux auteurs, dessinateurs et réalisateurs dont les œuvres m'ont été indispensables.

Par ordre d'apparition :

E.T.A. Hoffmann, *Le Chat Murr*, éditions Phébus, Paris, 1988.

T.S. Eliot, *Old Possum's Book of Practical Cats*, Faber and Faber, Londres, 1939.

Guy de Maupassant, *Sur les chats*, texte publié dans le quotidien *Gil Blas* du 9 février 1886.

Natsume Sôseki, *Je suis un chat*, Gallimard/Unesco, Paris, 1978.

Colette, *La Chatte*, Grasset, Paris, 1933.

Pascal Quignard, *Les Désarçonnés*, Grasset, Paris, 2012.

Jeanette Winterson, *Pourquoi être heureux quand on peut être normal ?*, L'Olivier, Paris, 2012.

Rabelais, *Pantagruel*, Le Livre de Poche, Paris, 1979.

La Fontaine, *Fables*, Le Livre de Poche, Paris, 1996.

Martin Gilbert, *Winston Churchill, 1945-1965. Volume VIII, « Never Despair »*, Heinemann, Londres, 1988.

William Shakespeare, *Romeo and Juliet*, The Arden Shakespeare, Londres, 1980.

Baudelaire, *Les Fleurs du mal*, Hatier, « Profil d'une œuvre », Paris, 2005.

Charles Perrault, *Le Chat botté*, Gründ, Paris, 2000.

Patrick Rambaud, *Le Chat botté*, Grasset, Paris, 2006.

Jacques Tourneur, *La Féline (Cat People)*, réalisé en 1943.

Paul Verlaine, *Poèmes saturniens*, Gallimard, « Folio », Paris, 2010.

Colette, *Chats de Paris. Autres bêtes*, Festival, Paris, 1966. Honoré de Balzac, *Peines de cœur d'une chatte anglaise*, Garnier-Flammarion, Paris, 1999.

Honoré de Balzac, *La Duchesse de Langeais*, Le Livre de Poche, Paris, 1998.

George Orwell, *La Ferme des animaux*, Gallimard, « Folio Plus Classique », Paris, 2007.

Henry de Montherlant, *Les Célibataires*, Gallimard, « Folio », Paris, 1972.

Tennessee Williams, *Cat on a Hot Tin Roof*, 10/18, Paris, 2003.

Elia Kazan, *La Chatte sur un toit brûlant*, réalisé en 1958.

Tennessee Williams, « Malédiction », *Le Boxeur manchot*, Robert Laffont, « Pavillon Poche », Paris, 2005.

Encyclopédie des symboles, Le Livre de Poche, « La Pochothèque », Paris, 1998.

Edgar Allan Poe, *Le Chat noir*, Librio, Paris, 2004.

Pierre Granier-Deferre, *Le Chat*, sorti sur les écrans en 1971.

Georges Simenon, *Le Chat*, Le Livre de Poche, Paris, 2007.

Jim Davis, *Garfield*, Dargaud, Paris.

William S. Burroughs, *The Cat Inside*, Penguin Classics, Londres, 1986.

Philippe Geluck, *Le Chat*, Casterman, Paris.

Amélie Nothomb, *Le Fait du prince*, Albin Michel, 2008.

Walt Disney, *Cendrillon*, sorti sur les écrans en 1950.

Mikhaïl Boulgakov, *Le Maître et Marguerite*, Robert Laffont, « Pavillon Poche », Paris, 2012.

Lewis Carroll, *Alice au pays des merveilles*, Gallimard, Paris, 1994.

Marcel Aymé, *Contes du chat perché*, Gallimard, « Folio », Paris, 2012.

Molière, *L'École des femmes*, Bordas, Paris, 2003.

Rainer Maria Rilke et Balthus, *Mitsou, histoire d'un chat*, Rivages poche/Petite bibliothèque, Paris, 2007.

TABLE

édition pré-presse
livres numériques

44400 Rezé

Imprimé par CPI (Barcelona)
en avril 2019

Imprimé en Espagne